Anjos e Pedras Preciosas

Dados Internacionais de Catalogação na Publicação (CIP)
(Câmara Brasileira do Livro, SP, Brasil)

Klinger-Raatz, Ursula
Anjos e pedras preciosas / Ursula Klinger-Raatz; tradução Marion Lamoza Alves. — São Paulo: Ícone, 1995.

ISBN 85-274-0370-6

1. Anjos 2. Ciências ocultas 3. Pedras preciosas I. Título.

95-4376

CDD-133
-133.3

Índices para catálogo sistemático:

1. Anjos: Ciências ocultas   133
2. Pedras preciosas: Ciências ocultas   133.3

URSULA KLINGER-RAATZ

Anjos e Pedras Preciosas

Tradução:
Marlon Lamoza Alves

© Copyright 1995,
Ícone Editora Ltda.

Capa
Desktop Publishing Ícone

Diagramação
Rosicler Freitas Teodoro

Revisão
Nicéia Furquim de Almeida

Proibida a reprodução total ou parcial desta obra, de qualquer forma ou meio eletrônico, mecânico, inclusive através de processos xerográficos, sem permissão expressa do editor (Lei nº 5.988, 14/12/1973).

Todos os direitos reservados pela
ÍCONE EDITORA LTDA.
Rua das Palmeiras, 213 — Sta. Cecília
CEP 01226-010 — São Paulo — SP
Tels. (011)826-7074/826-9510

Este livro foi dedicado à beleza da terra e a todas as forças elucidativas e afetuosas de Teneriffa, onde eu pude começar este livro, e de Creta, onde eu pude terminá-lo.

"O que nós presenciamos não forma o nosso destino, mas, sim, como nós sentimos o que presenciamos".

Marie von Ebner-Eschenbach

ÍNDICE

Introdução 9
Seres espirituais nos cercam 11
Inclusões do arco-íris 17

Chacra coronário e chacra frontal
Cristal de rocha 23
Cristais de rocha crescidos naturalmente 23
Cristais de rocha polidos 26
Ovos de cristal de rocha 27
Pirâmides de cristal de rocha 28
Obeliscos de cristal de rocha 29
Bolas de cristal de rocha 30
Cristal de rocha em polimento de brilhante 33
Diamante 35
Pirita 37

Chacra laríngeo e chacra cardíaco
Anjo das pedras polidas e facetadas 45
Granada 47
Rubi 50
Citrino 54
Topázio precioso amarelo 58
Peridoto/olivina 62
Esmeralda 65
Turmalina 69
Turmalina verde 69
Turmalina verde-rosa 71
Turmalina rosa 75
Kunzita 80
Água-marinha 85
Turmalina azul-clara escura 89
Turmalina azul-escura 90
Safira 98
Ametista 105
Sugestão para uma meditação com anjo 111

Centros de energia das mãos

Anjos das pedras polidas não-facetadas 117
Quartzo de turmalina 119
Quartzo de rutílio 123
Quartzo róseo 127
Jade 131
Calcedônia 136
Pedra-da-lua 140
Meditação com anjo usando um quartzo róseo oval 144

Opalas no chacra cardíaco

Opala 149
Opala preta 150
Opala branca 152
Opala de fogo 155
Opala de fogo opalescente 155
Opala de fogo transparente 157
Uma meditação com o anjo da opala 161
As formas das pedras preciosas —
   Chave para as portas interiores 163
Anjos das pedras preciosas (resumo) 167

INTRODUÇÃO

Este livro me foi transmitido do mundo espiritual. As pedras se anunciavam, quando eu terminei meu primeiro livro, *Os segredos das pedras preciosas*. Mas demorou quase um ano até à chegada da instrução direta para escrever. Durante os anos de elaboração, comunicavamse de repente energias concretas sobre o conteúdo do livro, assim como sobre o seu contexto entre as formas e as cores das pedras preciosas e o anjo ligado a isso. Tive a consciência de que se tratava aqui de uma nova dimensão de anjos, que se mostravam e se comunicavam comigo por meio das pedras. Quando comecei, então, a escrever, pude comprovar com admiração que, na verdade, aprendi a me dirigir e a me relacionar com os anjos nos últimos anos, mas uma nova espécie de anjo vem até nós através das pedras. Para mim, isto significou abandonar todas as observações dos anjos feitas até então, para ficar livre para o novo que me era revelado. Eu sempre me surpreendia, durante o processo da escrita, com a diferença e a variedade das funções deste mundo dos anjos.

Assim consegui, durante a escrita, o acesso a um novo plano dos anjos e novos conhecimentos e observações nas relações com as forças espirituais das pedras preciosas. Com isso, anjos ficam à nossa disposição: podemos alcançá-los especialmente por intermédio das pedras preciosas — e, na verdade, das pedras elucidativas, a maioria lapidada, mas também por meio daquelas polidas para cima com superfície côncava. As pedras polidas lapidadas estão ligadas a um grande grupo de anjos, enquanto que os polimentos para cima com superfície côncava, como cabochão polido, nos unem com um só anjo. Os cristais de rocha, como os grandes trazedores de luz, são exceção. Eles sempre vêm até nós com um anjo —, é indiferente se o cristal é lapidado ou não, pois com eles estão associados nossos anjos protetores.

Os anjos das pedras preciosas devem ter esperado muito tempo até que pudessem vir até nós e, por nosso intermédio, atuar sobre os homens aqui na Terra, pois o tempo e a nossa consciência estão maduros para isso. Com sabedoria divina, eles acompanham há tempos o desenvolvimento paulatino das pedras preciosas, desde muitos séculos atrás; esperaram com as pedras, até que fossem achadas e trabalhadas, e agora encontraram a entrada para nosso coração e nossos atos através da nossa consciência. Com a revelação do anjo da pedra preciosa vem um novo campo de energia do nosso inconsciente para nossa vida consciente.

Nós vivenciamos, através disso, uma nova parte da nossa consciência cósmica e aprendemos a utilizá-la. Durante a escrita, muitos contextos entre o mundo natural e o espiritual foram para mim renovados concretamente, de modo compreensível e evidente — com relação à aparência das pedras e sua irradiação em conseqüência disto.

Ao fazer esta leitura, sinta-se satisfeito e inspirado por essa energia e receba um novo acesso às forças espirituais da pedra preciosa. Novos ajudantes se instalam com isso em nossa vida e podem tornar-se ativos, através de nós, no planeta Terra. Bem-vindos à Terra!

SERES ESPIRITUAIS NOS CERCAM

O mundo das pedras é constituído de força viva: cada pedra, cada rocha está em vibração energética, mesmo que ela seja solidificada externamente e nos pareça sem vida.

Existem pedras que se sobressaem mais especialmente do que todas as outras que encontramos no mar, no rio ou no caminho, como rocha maciça, como rochedo. Elas têm cores brilhantes e irradiantes e estão escondidas bem no interior da Terra. Nós as chamamos pedras preciosas porque elas crescem com cores intensas e bonitas e também, freqüentemente, com formas especiais — como a florescência maravilhosa do mundo cinzento das pedras.

Essas pedras preciosas trazem consigo forças essenciais e espirituais. Elas resultam da força espiritual como criação integral e, com elas, é dada à terra uma única energia potencial, onde a força espiritual se concentrou em especial. Seu processo de formação nos transmite uma idéia da intensa influência das forças elementares, dos longos períodos nos quais o seu crescimento se realiza, assim como das energias concentradas que se encontraram por detrás delas como força espiritual e se manifestaram nelas na terra. Segundo avaliações humanas, as pedras preciosas não estão sujeitas a fenômeno de decomposição algum e nos transmitem um sopro de eternidade. Elas sobrevivem a gerações de vidas humanas e diferentes culturas e trazem consigo o espírito da Terra. Em múltiplas e naturalmente originárias cores e com certas estruturas de crescimento, através das pedras preciosas, a força da criação cuidou para que existissem leis fundamentais e energias renovadoras vitais na Terra —, e para que ficassem conservadas, pois, por intermédio delas, o mundo espiritual pode, além disso, atuar ainda em nós.

Cada pedra preciosa é um campo de forças concentrado que, através de suas cores, modelos, inclusões, forma, tamanho, estrutura de crescimento e modo de polimento, é sem par e constantemente difunde vibrações. Se estivermos prontos para nos abrirmos às forças internas das pedras preciosas com nossa consciência, elas podem tocar-nos muito intensamente através de suas vibrações. Estamos muito predispostos às suas irradiações, pois nós mesmos também somos constituídos de corpos espirituais que se irradiam com certas cores e que podem ser carregados, fortalecidos e purificados pelas cores puras das pedras preciosas e outras. É claro que as pedras preciosas ainda podem fazer muito mais por nós. Elas nos levam à comunicação com suas essências espirituais, que vêm conforme a maneira e o grau de desenvolvimento da pedra preciosa, do plano do espírito da Natureza ou do anjo;tais essências estão associadas à irradiação da pedra e encontram, através das irradiações, um caminho até nós.

No mundo espiritual, existem inúmeros ajudantes que estão ligados a alguma coisa material na Terra. Eles podem atuar somente por meio dessa matéria — seja por intermédio de homens, animais ou plantas — ou, ainda, através das pedras. As pedras também têm suas correspondências, seus aliados no outro mundo. Cada criatura tem uma maneira determinada de acompanhamento espiritual. O homem conta com seres espirituais mais divididos e dimensionalmente mais eficazes que o acompanham durante seu tempo de vida na Terra — não só os que permanecem ao seu lado enquanto ele está encarnado na Terra, mas também os que estão presentes somente durante um determinado período de desenvolvimento: em uma parte específica da vida, na obtenção de uma maturidade íntima etc. Tão variadas como são a consciência humana e a história da evolução da alma, de um domínio tão vasto vêm também os ajudantes espirituais do homem. Este está, por exemplo, em comunicação com seres espirituais que foram seus antepassados, como avós ou outros parentes. Pode ser que, ao mesmo tempo, ele se comunique com uma ou mais pessoas que conheceu antes de atravessar para o outro lado do mundo, na Terra, que desempenharam um papel relevante em sua vida e pelas quais ele se sentiu atraído — por exemplo avô ou avó, tia, tio, um pai que tenha morrido muito cedo, uma mãe ou um irmão morto ainda criança. Essas pessoas, então, nos acompanham, e influem sobre nós do campo oposto (espiritual) em direção ao material. Elas aparecem-nos em sonhos ou, simplesmente, percebemos de uma maneira ou de outra que estão conosco, porque nós as ativamos e falamos interiormente como se as conhecêssemos do tempo de vida aqui na Terra. Com suas expressões, forças e particularidades, elas nos guiam, nos ensinam, nos protegem e se sentem aprovadas.

Mas os antepassados também vivem dentro de nós com todo seu tesouro de sabedoria e boa cultura. Deste modo muitos de nós nos sentimos, por exemplo, especialmente atraídos pelo conhecimento celta; alguns têm antes uma predileção pela tradição exorcista indiana; outros, por práticas ocidentais, por conhecimentos egípcios ou, então, por outros aspectos culturais. Descobrimos dentro de nós energias, rituais, símbolos de força, somos levados em direção a forças mortais, que têm uma relação com esses conhecimentos formados; tornamos isto consciente outra vez através de nós e, com isso, vivo e útil.

Do âmbito de nossos antepassados e parentes, vêm os guias espirituais, até nós e, com suas qualidades e sabedoria, atuam por nosso intermédio. Se nós nos conscientizássemos novamente com sua presença e instrução, ou seja, mantivéssemos um contato consciente com eles — seja vendo-os e/ou sentindo-os e/ou ouvindo-os —, começaria agora um trabalho seguro, criativo e maravilhoso.

Mas o homem está também em contato com o mundo dos anjos. Comparando-os com guias espirituais, professores espirituais, iluminados, antepassados, eles nunca viveram como seres materiais encarnados na Terra — homem, animal, planta ou pedra. Eles estiveram sempre no domínio espiritual — como também nos diferentes pensamentos e hierarquias. Eles se elevaram parcialmente acima dos elementos dos seres espirituais, por meio dos reinos mineral, vegetal e animal, e vêm então até o homem, fazendo-o como ser de luz, ajudante de Deus, enviado divino, anjo no caminho humano para nossa inspiração e conscientização divinas.

Como único ser inteligente da Criação, o homem está em posição de se conscientizar tanto dos seres espirituais do reino da Natureza, como também daqueles dos domínios elevados e "celeste", quando ele aceita a existência do mundo espiritual. Isto pode acontecer se a alma, em seu desenvolvimento, estiver madura o suficiente a ponto de a vibração certa, da qual o anjo participa, estar na aura do homem. Essa vibração pode ser consciente para o homem — uma porta da alma que se abriu para você.

Todo homem é acompanhado e guiado por anjos. Se ele se conscientizar disso, também encontrará a entrada, a chave para a porta, com a qual pode dirigir-se, chamar e pedir ajuda aos anjos.

A partir disso, podemos concluir que os anjos são algo muito natural e até mesmo rotineiro, e que esperam somente ser chamados em nossa direção. Para isso, não é necessário ritual especial algum, intimidade alguma, ou concordância especial, mas somente a direção simples e afetuosa do coração. Quando reconhecemos a existência dos anjos e pedimos a eles algo concreto, nosso apelo interno é atendido e todas as forças são postas em movimento para ajudar-nos, proteger-nos ou realizar um desejo ou uma necessidade — desde que isso não seja dirigido contra nós mesmos ou contra outros. Sem dúvida é necessário que acreditemos, completamente, que um ou mais anjos estejam atuando a nosso favor. Nossas forças de pensamento e inteligência investigantes e logicamente orientadas não podem atingir esse mundo; podem, até mesmo, embaraçar-nos muito e, com isso, interromper e perturbar a entrada dos anjos e de sua ação cuidadora.

Não há o que não possamos pedir a um anjo — a não ser que seja contrário ao sentido da criação, amor, sabedoria, ordem e onipotência divinos. Tanto para a rotina, assim como para o objetivo interiorizado a longo prazo, podemos chamar os anjos — por exemplo, se entramos no carro, chamamos o anjo do trânsito; se fizermos uma viagem de avião, o anjo do avião; se precisamos de um estacionamento, o anjo dos estacionamentos etc. Deveríamos encontrar o anjo do pedido de proteção que julgamos capaz, que esteja equipado com sabedoria cautelosa e experiência na sua aura especial e nos conduza, segura e otimistamente, ao nosso objetivo. Se sofremos, por exemplo, de uma doença física ou um estado de ânimo adverso —como medo, tristeza, violência etc. —, podemos designar um anjo especial para o assunto e pedir a ele para tirarnos desse estado. Isso parece muito prático, em situações como, por exemplo: se sinto dores no coração, peço ajuda a um anjo que esteja familiarizado com a cura das dores cardíacas. Eu chamo interiormente o "anjo do coração" com total confiança no seu aparecimento e sua ação e peço a ele para, com toda sua sabedoria e amor, tirar-me desse estado. Se conhecer exatamente o meu quadro hospitalar, posso chamar ainda um anjo mais especializado: por exemplo, o anjo para problemas com a válvula do coração. Podemos sempre vivenciar que os anjos ouvem nosso chamado de ajuda e se tornam ativos, proporcionando-nos alívio de alguma forma.

Podemos vivenciar diretamente sua presença especialmente em coisas pequenas e rotineiras, por exemplo, quando achamos rapidamente um bom estacionamento ou seguramente somos guiados através de um congestionamento no trânsito de uma cidade desconhecida. Com isso, pode ser aumentada e consolidar-se a nossa confiança nas relações com os anjos.

Nosso contato com os anjos é protegido de várias maneiras, e existem no mundo material muitas portas para esse mundo elucidativo e espiritual dos anjos. Uma chave que se encaixa na porta dos anjos nos é dada com as pedras dos anjos e cristais. Eles nos contatam através do modo especial dos anjos. Anjos que vêm até nós por meio das pedras devem ter esperado muito tempo até que pudessem tornar-se vivos por nosso intermédio, despertar através de nossa observação e da abertura da consciência de nossas almas para as forças internas das pedras e a existência dos anjos.

Eles acompanharam e vigiaram do mundo espiritual os processos de formação e crescimento das pedras dos anjos, tanto que alçaram algumas espécies de pedras — as mais preciosas das pedras preciosas

— para a completa força de luz. Alguns dos anjos que se elevaram acima do reino dos espíritos terrestres — os quais ainda têm um contato com esses ajudantes espirituais, cujo saber contêm a si mesmos — orientaram os homens para que aprendessem a polir as pedras preciosas elucidativas. Eles transferiram seu processo de acabamento para o polimento, que primeiro desperta as pedras para a vida resplandecente e radiante e nos mostra seu fogo espiritual interior, o qual se manifesta energeticamente.

Reconhecemos esses anjos por meio de suas cores — eles trazem a cor da pedra à qual pertencem e de que já cuidavam no crescimento, para que desenvolvesse sua cor correspondente e produzisse uma parte elucidativa, luminosa e brilhante.

Se olharmos uma pedra luminosa, transparente, veremos diretamente a cor do anjo à qual ele pertence e teremos então um estímulo para nossos olhos exteriores, já que o olhar do mundo interior, da forma espiritual, nos ativa e nos sensibiliza para o reconhecimento e identificação dos seres espirituais.

No caso das pedras, são anjos que através da luz colorida delas se sentem atraídos, solicitados e chamados. No entanto, nem todas as pedras preciosas estão relacionadas com um anjo, mas apenas as pedras elucidativas, luminosas, não opacas, ou seja, transparentes. A forma da pedra — na qual ela cresceu, foi lapidada ou britada — é a expressão compreensível, visível, materializada da aura do anjo, que é, entretanto, muitas vezes maior que a própria pedra. Se a pedra tem inclusões, elas nos mostram as feições dos seres, as particularidades do anjo. Através da forma e da espécie da pedra, podemos reconhecer também a simplicidade ou a universalidade, a natureza dos seres. Muitas vezes a forma externa, e também a vida interior de uma pedra, nos diz alguma coisa muito verdadeira. Vivenciamos, então, uma certa qualidade de energia dentro de nós: devemos pensar em algo determinado, sentimo-nos pensando em alguma coisa ou vemos uma forma espiritual específica, que nos é confiada ou abre-se para nós depois de algum tempo.

INCLUSÕES DO ARCO-ÍRIS

Algo muito especial exprime o arco-íris em uma pedra. Nesse caso, não se trata sempre de uma fonte de energia homogênea, mas sim múltipla, e com isso perfeita. Existem "portas" através das quais uma pedra possibilita uma entrada especial para a alma muito ampla e completamente serena. Uma energia que a alma ensina para vivermos em multiplicidade e beleza divina.

Um arco-íris nasce quando o sol brilha com a chuva — ele une as nuvens e a terra. Assim, o arco-íris que se manifesta na pedra, e por isso é sempre visível e presente, quer comunicar-nos que nossas impressões mais dolorosas, que nos levam aqui na Terra ao desespero, a chorar, são iluminadas pela luz divina, ou seja, pela onipotência do amor. E, desse modo, são acompanhadas pelo Criador e seus ajudantes elucidativos, mesmo que isso não pareça acontecer em nossas horas sombrias, penosas, dolorosas. Por meio do reconhecimento e do domínio, foi constituído um campo de força criativa que realça em nós uma nova beleza e capacidade e quer ser visto livre de dor. As nossas fraquezas podem tornar-se fortes, de forma bonita e perfeita, como quando surge o arco-íris da união do Céu com a Terra.

Se uma pedra for por nós encontrada com um ou mais arco-íris, significa que estamos relacionados com essa forma de energia libertada, que abre na nossa alma uma porta para uma força até então bloqueada, ligada a uma lesão, dor ou dèsilusão. Existem anjos com dons e graças especiais que dependem do arcanjo Gabriel. Este arcanjo dispõe especialmente da força curadora das cores e instrui as almas, acompanha-as no seu caminho para a Terra e as prepara para sua vida neste planeta antes de elas reencarnarem e animarem um corpo humano. Ele conhece muito bem nossa alma e, também, o que ela precisa aprender sobre vivências dolorosas em uma encarnação.

Se trouxermos conosco uma pedra com arco-íris, devemos saber que realizamos dentro de nós um contato com o doloroso; temos a chance de transformar isto em beleza perfeita, com a colaboração dos anjos sob as ordens do arcanjo Gabriel.

Quando contemplamos uma pedra preciosa, percebemos que existem algumas delas que só aparecem opacificadas, ou seja, não-transparentes, como por exemplo flocos de neve, jaspe, hematita, olho-de-falcão, olho-de-tigre, malaquita, rodonita, coral, pérola, turquesa, sodalita, azurita, lápis-lazúli. Essas pedras não têm parte luminosa alguma e, também, não estão em contato com anjos. Elas estão em contato com outros seres espirituais — espíritos da Natureza —, dos quais um anjo pode depender um dia. Os espíritos da Natureza têm tarefa relativa ao plano material, ou seja, curadora, abrangedora, multiplicadora, exploradora, amenizadora. Muitas pedras preciosas crescem em diferentes densidades e têm gradações em sua intensidade de luz. Na espécie densa, elas estão em contato com os espíritos da Natureza. Por exemplo, existem muitas "safiras" opacas azul-escuras. Elas estão em contato com os espíritos da Natureza, entretanto, num plano muito elevado. Quanto mais luminosa for uma pedra em seu crescimento, mais espirituais serão os seres que a cercam.

Uma pedra em sua espécie luminosa está em contato com uma energia espiritual que corresponde ao plano dos anjos. Nós nos sentimos atraídos pelas safiras luminosas brilhantes muito mais rapidamente: elas são pequenas faces polidas que brilham, irradiam e são utilizadas em jóias preciosas. Isso acontece com muitas pedras preciosas. Há muito tempo, nós nos sentimos atraídos especialmente por pedras luminosas elucidativas. Isso não está relacionado somente com a fabricação de jóias valiosas a partir delas. Ao contrário, de alguma forma ficamos impressionados pela intensidade de luz e brilho, do cintilante e reluzente. Queremos enfeitar-nos com isso e estamos assim, na maioria das vezes inconscientemente, relacionados com forças luminosas do mundo espiritual — tão elevadas, que estão atuando como anjos e esperam chegar até nós por meio das vibrações dessas pedras tornando-se conscientes aos nosso sentidos.

As pedras através das quais os anjos se manifestam — ou seja, dentro delas os anjos se manifestaram — formam-se por sua união com um anjo com qualidades específicas. As pedras nos mostram, ao mesmo tempo, em qual lugar do nosso corpo elas estão em contato conosco. Os anjos que vêm até nós através das pedras preciosas tocam e penetram nossa aura, que é constituída de muitas camadas e irradia a energia aos diferentes corpos do nosso ser. Cada um de nós é constituído não somente de corpo físico, carnal, que podemos ver com nosso olhar exterior; o próprio corpo físico é atravessado e cercado por energias espirituais. Mais além, a nossa alma é ligada a um corpo de energia espiritual, o corpo da alma, cuja composição apresenta muitas camadas. Sua vibração densa é a camada da alma, à qual estão unidas todas as sensações. Mais adiante se apresenta um corpo espiritual, que contém em si todos os potenciais espirituais e brilha; também ele é constituído de diferentes camadas, onde a densa vibração representa a camada dos nossos padrões de pensamento, que unem nossa forma de pensar.

Todos os três corpos — o corpo físico, o da alma e o espiritual — estão relacionados uns com os outros em mútua troca de energia e formam nossa aura. Esta constitui irradiação que nos cerca e traz consigo todas as características do nosso ser, muito detalhadamente, nas cores e formas no plano espiritual — por exemplo, todas as doenças, sensações, sentimentos, desejos, tarefas e capacidades desenvolvidas da alma; todas as idéias, e objetivos. Quando os homens se encontram, aproximam suas auras e um contato energético é realizado inconscientemente; por meio deste, nós nos permutamos mais amplamente, comunicamo-nos uns com os outros, aprendemos reciprocamente como podemos apresentar-nos.

Muitos acreditam que já viveram tudo. Assim, o estar junto de um novo alguém pode ser muito animador para um homem que se exauriu numa relação com um outro. Um nos dá força, o outro leva-a de nós. Isto mostra somente uma pequena parte do que acontece entre homens que se encontram no plano espiritual.

Mas nossa aura está também relacionada com nossos chacras, centros espirituais de energia que suprem muito especializadamente nossa necessidade energética nos diferentes planos e por meio dos quais nós fornecemos energia. Existem sete chacras principais, mais alguns centros paralelos e outros nas mãos e nos pés. Os chacras atravessam o corpo espiritual e também o nosso corpo carnal, e terminam na coluna vertebral, cada vez em um ponto. Eles entram no corpo carnal pela frente da metade do corpo: na parte central da área genital, o chacra de base; no centro vital do abdômen, o chacra umbilical; no centro do plexo solar, na parte de cima do umbigo, o chacra esplênico; o chacra cardíaco, na área do coração; o chacra laríngeo, no pescoço; o chacra frontal em cima da raiz do nariz; e o chacra coronário, em cima da risca do cabelo, no alto da cabeça.

Enquanto é feito o exercício dos chacras energéticos, a troca de energia espiritual e a transformação da energia em diferentes freqüências de vibração, a tarefa dos corpos energéticos é o recolhimento e armazenamento das energias espirituais nas cores, nas formas e padrões que correspondem à situação do nosso ser.

De mais a mais, existem camadas em cada corpo, algumas das quais ficam relativamente constantes em nossas vibrações; outras se transformam em longos espaços de tempo ou ritmos; e há ainda as que se transformam mais rapidamente — todos os dias, num piscar de olhos. Essas vibrações se manifestam diferencialmente por meio das cores, da forma e dos padrões, do tamanho, da obscuridade, da intensidade luminosa etc., e formam uma união energética de muitas dimensões, que se transforma com nossas tendências, experiências de vida, graus de aprendizado, mudanças, vivências podadas e muito mais, de maneiras diferentes.

Anjos vêm até nós através da aura. Os anjos que vêm até nós com as pedras entram na área da aura que se encontra perto daquele centro de energia que está sendo carregado pela aposição da pedra sobre ele, ou para o qual sua irradiação é dirigida por meio de nossa imaginação. A partir daí, o anjo pode atingir todos os nossos corpos através da aura, e satisfazer todas as nossas necessidades ou somente parte delas. Isto depende da composição e irradiação da pedra com a qual o anjo está relacionado e através da qual ele vem até nós. As energias das pedras, por outro lado, dependem de suas cores, pureza e intensidade luminosa de seu fogo interno, de seu tamanho e forma, na qual ela cresceu ou foi levada ao crescimento.

Ao nosso chacra coronário pertence o elucidativo cristal de rocha (o trazido da luz) e o diamante polido (o brilhante), que nos traz o aperfeiçoamento, a perfeição por meio da inteligência, assim como a pirita, com sua alta energia luminosa dourada originária de outros planetas e sistemas solares. Seus anjos vêm até nós através de nossos chacras coronário e frontal, irradiando todo nosso rosto até o pescoço, assim como nossa aura da cabeça com luz clara e pura ou em arco-íris brilhante, respectivamente, o brilho dourado.

Acima do nosso chacra laríngeo e até acima do nosso peito, no coração, e junto ao ombro nos tocam e nos satisfazem os anjos das pedras coloridas, lapidadas e facetadas, que brilham na sua mais pura, perfeita, preciosa e elucidativa forma, tais como: granada, rubi, citrino, topázio precioso, olivina, esmeralda, turmalina, kunzita, água-marinha, safira e ametista.

As pedras nos alcançam através dos braços e das mãos. Nas que flui luz calorosa, suave e brilhante, sua presença mais pura e sua forma mais preciosa são encontradas naquelas polidas como cabochão. Na nossa mão direita como anel ou como pulseira ou simplesmente com a pedra na mão, nós estamos em contato com os anjos do quartzo de turmalina e de rutila assim como com os do quartzo róseo. Com nossa mão esquerda e, respectivamente, com nosso braço esquerdo, estamos em contato com os anjos do jade e da pedra-da-lua.

Através do nosso chacra cardíaco nos alcançam os anjos luminosos e brilhantes da opala. Eles nos dão especialmente energia para a realização vigorosa, serena e bem-sucedida de nossas vidas aqui na Terra.

CHACRA CORONÁRIO E CHACRA FRONTAL

CRISTAL DE ROCHA

"Protetor das leis espirituais"

Dedicar-nos-emos agora aos anjos das pedras únicas elucidativas. Isso depende, neste caso, especialmente da qualidade da pedra, da sua clareza, pureza, inclusões, da densidade da cor, da forma — crescidas e polidas — e do seu tamanho.

O cristal de rocha é uma pedra muito especial, pois está sempre relacionado a um anjo — não importando o quanto seja denso, leitoso ou claro, se é polido ou não, com ou sem inclusões. Isso está relacionado com nossos contatos, por meio dos cristais de rocha, com nossos anjos protetores, com protetores das leis espirituais que nos assistem em diferentes situações. Eles nos conduzem, protegem, orientam, ajudam.

Mas existem diferentes tarefas e áreas de atividade para os cristais de rocha leitosos e claros, polidos ou não, que estão ligados às nossas histórias de vida individuais.

Porque os anjos de cristais nos tocam na cabeça e no rosto, suas tarefas gerais são centradas em todas as áreas que estão relacionadas com nossa cabeça e nossos potenciais espirituais. Isso pode referir-se desde a planos muito materiais — relacionados com órgãos do corpo, pensamentos, inteligência — até as nossas capacidades intuitivas, meditativas e essenciais. Mais além, também, com o que acessivelmente não nos é consciente e se manifesta no espírito elucidativo de toda vida — o maior potencial do nosso ser.

Cristais de rocha crescidos naturalmente

Os mundos **que não são vivenciáveis e apreensíveis conscientemente**, dos nossos espíritos são tocados e satisfeitos por meio dos cristais de rocha muito claros e puros. Existem anjos fortes de intensidade luminosa em luz mais clara que estão em contato com nossa essência divina e influenciam, a partir disso, por intermédio do próprio anjo superior, na aura do nosso corpo espiritual. De acordo com a forma que o cristal puro apresenta, manifesta-se também a forma e qualidade da energia do anjo e sua área de exercício.

Uma **ponta de cristal crescido, puro, único** contém em si um "anjo para o caso de necessidade". Ele nos ajuda quando nos encontramos em necessidade ou perigo e quando somos conduzidos para junto de outras pessoas em situação de perigo. Essa necessidade pode estar relacionada com o plano do corpo: um acidente, uma operação ou doença aguda. Então, por meio dos cristais, vem uma energia muito espontânea, ativa, ajustada por intermédio do anjo que está relacionado com esse cristal. A necessidade pode também referir-se às situações de sentimento, dentro das quais nos encontramos em grande desespero, não sabendo mais como devemos proceder.

Se pegarmos então uma ponta de cristal puro e pedirmos ajuda ao anjo dos casos de necessidade, receberemos uma energia clarificada e libertada, na maioria das vezes, relacionada com as instruções para percebermos onde devemos colocar o cristal e, ainda, o que devemos fazer com ele. A orientação pode ser a indicação de um lugar do corpo onde devemos colocar o cristal para que o anjo, através disto, possa tornar-se ativo; ou, por exemplo, "uma instrução de tratamento" que está exposta no cristal, para possibilitar que o anjo acione uma engrenagem energética para o nosso corpo carnal ou para o corpo espiritual de nossas almas e/ou espíritos.

Pois a causa de uma doença ou de um colapso físico já existe no plano espiritual e pode, muitas vezes, ser resolvida a partir disto. Ou devem ser ativadas e transformadas as energias dos altos e iluminados planos espirituais para o domínio da necessidade, ou seja, são levados para a freqüência de vibração que está relacionada com o plano terrestre, material.

Um cristal de rocha com ponta, que é de qualidade luminosa e atravessado pelas inclusões, nos permite relacionar-nos com um "anjo da conduta espiritual". Múltiplas e puras influências nos chegam com o anjo, as quais podemos receber mais claramente no plano mental. Ele se comunica conosco por meio de inspirações, idéias espontâneas e intuições.

O cristal de rocha com uma ponta com base densa e "leitosa" que se transforma diretamente em uma parte clara, mantendo essa pureza até a ponta, traz o "anjo da paz" consigo, o qual se une a nós com contrastes que nos reconciliam com nossa vida terrestre e nos facilitam o sentimento de uniformidade.

Cristais de rocha com uma ponta, que está crescendo com bases densas, mas que pouco a pouco se tornaram mais luminosas com suas inclusões até sua ponta, estão juntos com o "anjo do crescimento espiritual". As dependências do plano material que conduzem à falta de liberdade, à prisão, ao estruturamento, à delimitação são submetidas pelo anjo a um processo de conhecimento radical, que leva consigo uma libertação progressiva. Para isso, nossos pensamentos e impressões do ambiente são acolhidos e trabalhados diretamente com clara energia de distinção.

Cristais de rocha com uma ponta, que é completamente "leitosa", nos levam, por intermédio do "anjo da manifestação", a contatar conscientemente as forças que nos ensinam a agradar o além do consciente por meio do inconsciente, as forças do pensamento através das energias do sentimento. As forças do nosso pensamento, como também as de nossas vontades, são carregadas através das energias das nossas emoções, nossos sentimentos — elas se comprimem mais e mais e acabam tornando realidade nossas idéias e desejos. Se esse anjo vem para um homem que está parcialmente voltado para o material, ele fortalece o homem cuja tendência é criar-se e acumular mais e mais no plano material. Para o homem puramente materialista, orientado para isso, significa dizer que a sua dependência pelo material aumentará: que ele, por exemplo, comerá, beberá, e fumará mais, ganhará mais dinheiro... ou terá ainda um carro maior, uma casa mais ampla... viajará mais, ou terá... mais e mais. A este homem deve ser dado, então, um cristal que está aliado ao "anjo do crescimento espiritual". Ele deve dispor de uma base densa, clara e de inclusões revolvidas até a ponta luminosa. Elas devem vir à luz com esses anjos do pensamento parcialmente material. Um cristal com o "anjo da paz" também é solícito neste tipo de retenção, porque este anjo dá força a fim de poder parar com "o querer ter mais", pois ele mostra o contrário do terrestre, o divino, que torna o espírito puro acessível.

Junto com os cristais com mais de uma ponta, relacionamonos com mais de um anjo. Podemos verificar, a partir da densidade e pureza das pontas ou das misturas, respectivamente, as combinações das pontas isoladas, e qual o anjo que lá está. Mas a direção de crescimento das pontas é muito importante. Nisso nós reconhecemos a cooperação de dois ou mais anjos e, também, de anjos que guiam parte de nosso ser para outra direção. Eles cuidam para que um campo de interesse útil seja criado e mantido por nosso ser total ou, ao contrário, seja separado quando, para nós, esse interesse não está em harmonia com outros grupos de seres momentaneamente importantes.

Um grupo de cristais (assim também é chamado um cristal com mais de uma ponta) traz então uma reiterada influência para o nosso ser por meio de mais de um anjo. Eles atuam uniformemente, se todas as pontas apontam numa mesma direção e quando acusam as mesmas densidades. Se todas as pontas estiverem crescendo na mesma direção, porém, se até o momento, não cresceram da mesma maneira com relação à pureza e densidade — ou seja, se existem, por exemplo, cristais muito puros e claros, mas também pontas de cristais leitosas de gradações —, os diferentes anjos correspondentes estão lá e atuam coletivamente em uma execução uniforme. Isto quer dizer que diferentes partes do ser, particularidades, capacidades etc. são alinhadas vigorosamente para um assunto comum. Encontramo-nos então em uma posição na qual tudo em nós se concentra para a realização de um objetivo, ou um desejo. Outros interesses da vida retrocedem.

Grupos de cristais que estão crescendo com clareza e densidade uniformes, mas cujas pontas se inclinam em diferentes direções, nos indicam que anjos da mesma espécie protegem áreas diversas do ser.

Se nos voltarmos para um grupo de cristais cujas pontas se inclinam em diferentes direções, mas se todas as pontas forem de cristal puro com inclusões, estaremos nos relacionando com "anjos de conduta espiritual", que atuam em diferentes qualidades do nosso caráter.

Por exemplo, um ou mais planos podem ser guiados por um desses anjos para uma nova direção. Ou uma parte de nossas energias de pensamento será totalmente conduzida para fora pelos nossos sentimentos e dirigida para uma nova orientação de pensamentos. Existem, dessa forma, inúmeras combinações possíveis e, com isso, resultados variados, conforme a quantidade de pontos que um grupo de cristais apresenta. O tamanho também é uma referência para isso: indica com qual força de expressão o anjo correspondente chega. Nós mesmos podemos aprender a reconhecer que anjo vem com um cristal e qual a área do nosso ser que ele toca. Sabemos, de dentro para fora, o que em nós necessita de uma mudança. E nos relacionamos mais claramente com processos interiores por meio da contemplação e da força dos cristais — o que também ocorre em relação aos anjos elucidativos do mundo espiritual que vêm para nos ajudar. Os cristais nos dão um quadro e um campo de energia para que possamos recorrer ao mundo dos anjos com nova consciência.

Cristais de rocha polidos

Enquanto os cristais em crescimento nos levam a contatar forças elementares, tanto em nós como no mundo dos anjos, os anjos da mais alta hierarquia vêm até nós por meio dos cristais polidos. Eles já têm por de trás de si os processos de desenvolvimento do aperfeiçoamento na alma e ativam as energias transformadoras, reorganizadas dentro de nós, abençoando-nos e gratificando-nos por comportamento e atos. Suas ações protegem os processos de abnegação que estão relacionados a isso, fazendo com que suas vibrações sutis venham ao nosso campo de energia.

Ovo de cristal de rocha

Com o ovo de cristal vêm até nós "anjos da força pura de criação". Estes anjos nos envolvem, protegendo-nos com uma nuvem de luz oval, e facilitam as idéias em forma de energias mentais. Assim, ganhamos conhecimentos que são necessários à colocação de idéias espirituais.

Mas aqui também se realiza, mais uma vez, a diferenciação entre pureza e densidade, deixando visível uma especialização através dos planos das energias do pensamento. Com um ovo de cristal totalmente claro e puro, sem inclusão alguma, os planos criadores espirituais mais altos serão visíveis, porque eles estão relacionados, inequivocamente, com essa espécie de cristal, depois do princípio de ressonância, e estão concentrados por meio da ação das energias do cristal, tornando-nos com isso, acessíveis. Nossa ambição de pureza e clareza na realização de intuições espirituais é especialmente protegida com isso.

No **ovo do cristal claro com inclusões**, nós nos relacionamos com o plano do padrão de pensamento. Este plano retém uma flutuação de luz. Os padrões do nosso mundo de apresentações espirituais dispostos de forma firme são atingidos, de certo modo, por um remoinho e, dessa forma, são libertados de um lastro desnecessário.

Ovos de cristais que são leitosos e atravessados por inclusões tocam o mais profundo plano do pensamento, que é atraído para o nosso mundo do dia-a-dia. Alegria em atividades diárias, assim como na colocação de nossos entendimentos trabalhados, logicamente está relacionada com isso. Nossos pensamentos diários são purificados e aprendemos a reprimir e a concentrar tais pensamentos, assim como empregálos no tempo certo e na situação correta, em vez de sermos permanentemente dominados, movidos por eles, espalhados pelo vento — o que, por sua vez, dispersa nosso campo de energia. Os ovos de cristais leitosos nos levam, então, à energia formadora do domínio do pensamento.

Pirâmides de cristal de rocha

Por meio da pirâmide de cristal de rocha nós nos relacionamos com os "anjos da realização própria". Eles são elevados à consciência da alma — com idéias, desejos, objetivos, a fim de ganhar a força da dimensão espiritual para a realização de tarefas do plano material.

As pirâmides possuem quatro ângulos, com os quais se afirmam. Essa forma nos dá força para o perfeito domínio da base material, através da inclusão do potencial espiritual que está à nossa disposição e é representado pela ponta da pirâmide. Essa ponta está relacionada com cada ângulo e une os campos de força de dois ângulos, ou seja, dois aspectos do mundo material que se relacionam um com o outro na forma de um triângulo. Por meio dessa relação os objetivos mundanos serão unidos aos objetivos divinos.

As pirâmides de cristal puras e claras sem inclusões unem as necessidades altruístas da alma à luz divina, tornando-as acessíveis à nossa clara força de vontade e contribuindo, assim, para a realização de um ideal.

As pirâmides de cristal claras com inclusões movimentam nossos padrões estagnados, mentais e sentimentais. As alegrias ativadas correm nossa mente com esse tipo de anjo, "que dá asas" à nossa criatividade e nos ajuda a começar novas tarefas com "corações puros", ou seja, com elevação espiritual de motivos altruístas.

As pirâmides de cristal leitosas nos possibilitam cumprir e manifestar as forças que atuam para o domínio da vida material. Em todas as tendências "para cima", para um contato consciente com o mundo espiritual, não podemos imiscuir-nos com as necessidades terrenas. Elas são um amplo campo de estudo para a nossa alma conhecer, "despir", desvendar as estruturas carregadas e agravantes de retenções, e para alterá-las por meio dos processos de transformação em estruturas desejadas e úteis. A terra e também o nosso corpo, com as mais densas vibrações do Universo, nos dão oportunidades maravilhosas para a necessidade de elevação da alma. A terra sente a nossa alma, freqüentemente, como estreitamento agravante. Na Terra "material", cada pensamento, desejo, sentimento, enfim, tudo caminha muito mais devagar para a realização do que no plano "espiritual". Por sorte, então, temos tempo suficiente para aprender a controlar nossos desejos e pensamentos antes que eles se manifestem. No plano espiritual, cada pensamento chega imediatamente a um potencial criador de energia com as conseqüências correspondentes. Para um pensamento, uma idéia, um desejo etc. se tornarem visíveis, eles devem ser pensados, apresentados, sentidos freqüentemente, de forma nítida e clara o suficiente até que eles então se manifestam, tanto que provocam, de forma vigorosa e densa, um campo de energia vibrante, que torna a "realidade" visível e conhecida no mundo material. Nem todos os pensamentos e sentimentos dentro de nós resultam de corações puros ou estão direcionados no sentido do desenvolvimento anímico; então, é somente para a nossa proteção se tudo não se cumpre imediatamente. Por outro lado, a alma desenvolve com isso a estabilidade e a capacidade inconsciente, de energia, fluente, livre para ostentar forças ou impulsos para a concentração e formação de energia, e conhecendo então, em princípio, um lado do processo de criação — a condensação de energia, a materialização.

A pirâmide de cristal leitosa nos leva a contatar anjos de energias, que nos instruem no processo de "materialização" e nos orientam na utilização espiritual para a transformação da vida na Terra, no domínio da existência terrestre.

Obeliscos de cristal de rocha

Com obelisco de cristal vêm até nós anjos que nos auxiliam na retidão e vigilância dos nossos espíritos, que zelam por ensinamentos, idéias, pensamentos, energias que conseguem uma entrada para nosso interior. São os anjos dominadores. Os "anjos da guarda" ficam sempre na frente das portas internas e cuidam para que sejamos "abastecidos" com forças correntes, das quais necessitamos para a nossa cura e crescimento. Se uma energia é útil, eles "liberam" o caminho e abrem a porta. Eles reconhecem quando uma energia que chega para um desenvolvimento não é útil; com isso, cuidam para que a porta se mantenha fechada. A esses anjos da guarda está unida uma ampla proteção e o aprendizado de uma grande energia de discernimento, o que é significativo para nós em cada movimento da vida; também é realizada uma vontade conveniente.

Os obeliscos de cristais de rocha muito puros e claros sem inclusões zelam por um espírito puro, pela retenção de determinações e princípios claros, cristalizam para fora um canal interno de intuição.

Os obeliscos de cristal claro com inclusões nos unem aos anjos que cuidam para que não nos entorpeçamos, não decaiamos na parcialidade. Eles nos dão instruções para tratarmos dos variados movimentos no plano espiritual de modo ligeiramente dançante e com alegria, mas, apesar disso, para reconhecermos nesse comportamento uma ordem correta.

Os obeliscos leitosos que se tornam mais claros na parte de cima nos fazem encontrar com anjos que cuidam para que não fiquemos limitados ao mundo terrestre com nossas energias de pensamento, nossos desejos e vontades mundanos.

Os obeliscos leitosos nos ajudam, com seus anjos, a sair de confusões, nos fecham perante às forças agressivas, ofensivas, e nos preservam de decisões precipitadas. Os anjos nos protegem, mas, para isso, levam nosso potencial total a uma ordem controlada.

Bolas de cristal de rocha

As bolas de cristal nos unem aos "anjos de toda a solidariedade". A bola é uma unidade harmônica. Tudo o que essa forma arredondada poderia alterar é polido junto pelo cristal — tudo o que está dentro dela pertence a ela e está integrado. Assim são os anjos que nos alcançam por meio da bola de cristal: são "equipados" com energias que harmonizam nossa essência com todo o amor, com toda a força, com toda a sabedoria, e que manifestam em nós toda essa irradiação.

As bolas de cristal puras e claras trazem até nós os anjos que nos mostram todas as relações do Universo e nos facilitam uma grande salvação e carregamento de energias. Uma pequena bola de cristal clara, com mais ou menos 1ou 2 cm de diâmetro, podemos levar na mão para um passeio, trabalho, descanso ou para uma meditação... e nos sentiremos animados, assim como rejuvenescidos, aliviados, vigorosos. Um "anjo de toda a solidariedade" nos acompanhou e cumpriu sua tarefa; ele transferiu para nós sua energia especial e, com isso, purificou nossos pensamentos, liquidou processos no mundo dos sentimentos e nos deu novo ânimo. A maior parte dessas bolas de cristal deve estar junto a um lugar muito especial, sobre uma toalha, em um nicho, sobre um altar, para que seu ser de luz possa difundir-se a partir dali, ondulantemente. Elas são projetadas para meditação e deixam crescer em nós, muito especialmente nessas posições, toda a solidariedade.

Para tanto uma sugestão de meditação: nós nos sentamos em posição de meditação, a bola de cristal clara está sobre nossa mão, fechada como uma concha. Manifestamos os pedidos internos, que a energia universal da vida, o amor divino nos realizem e que um "anjo de toda a solidariedade" quer acompanhar-nos. Para isso, imaginamos que somos envolvidos pela luz, de forma satisfatória, em um ovo luminoso com limitações douradas. (Assim, estamos satisfeitos e protegidos pela energia.) Deixamos brilhar a bola de cristal nas nossas mãos, com brilho dourado, perante o nosso olhar interno, com o qual vemos tudo que corresponde ao ser interior. Podemos imaginar-nos numa luz clara e pura. (Está é também uma possibilidade de purificar e carregar o cristal e outras pedras.) Imaginamos que um grande anjo surgirá da bola de cristal em luz muito clara. Ele se deslocará para trás das nossas costas e tocará nossos ombros com suas grandes asas elucidativas. E, finalmente, essas asas cruzam o nosso peito e nos envolvem totalmente em sua luz e salvação afetuosa. Nossa intenção vai para a bola de cristal na nossa mão. Na nossa apresentação nos deixamos difundir pela bola de luz pura, latejante, ondulante. Deixamos essa onda de luz completar mais voltas, formando uma grande bola de luz.

Se a bola de luz for tão grande que a sala e toda a casa seja tomada por sua luz, veremos em lugares diferentes da bola sinuosidades, cavidades, curvas, dobras, locais escuros. (São as energias desarmônicas que nos envolvem, que vêm da nossa própria irradiação, dos campos de perturbação da nossa casa e arredores, dos campos de energia que extraímos por meio do nosso pensamento e ações, das irradiações terrestres agravantes e irradiações cósmicas etc. e se mostram assim sobre a bola de luz.) Registramos, pura e simplesmente, tais lugares aqui perturbando a harmonia da bola, pois equilibramos esses lugares no retorno. Agora, deixamos nossa bola estender luzes latejantes, fazendo com que todos os arredores tenham lugar nela. Mais uma vez essa bola de luz produz formações externas, que só registramos, e, então, deixamos a bola de luz continuar a crescer até que abranja o país onde vivemos. Aqui, vemos mais uma vez formações na bola; nós as registramos e deixamos a bola aumentar tanto que abrange a parte da Terra onde nos encontramos. Aqui, também, existem formações na superfície da bola que meramente registramos. Deixamos a bola de luz continuar aumentando até que envolva toda a Terra e a aura (irra-diação) do planeta. Vemos novamente as formações desarmônicas na bola, registramos essas formações, deixamos a bola de luz crescer mais, de modo que abranja o sistema solar da Terra. Vemos as formações dessa bola; nós as registramos e deixamos a bola de luz continuar a crescer. Ela mergulha agora a energia da vida universal no mar mais antigo de todos, no mundo iluminado do Universo, como uma gota no mar. A forma abaulada se desfaz nessa luz universal. Nós nos banhamos neste mar de luz, puro e sem fronteiras, abastecemo-nos, acolhemos tudo em nós, tudo de que precisamos.

Se realizamos tudo isso, voltamos da luz plena. Do mar de luz infinito, forma-se outra vez para fora uma bola de luz latejante. Esta bola fica cada vez menor, até que ela alcança o tamanho com o qual todo o sistema solar é abrangido. Agora, aparece a bola formada e registrada internamente. Com a bola de luz que chega do mar de luz, aplainam-se então todas as formações, todos os lugares escuros ficam claros e vemos uma bola perfeita com luzes puras e latejantes. Assim procedemos com todas as bolas registradas, como forma no nosso regresso e trazemos com isso a luz harmônica da fonte infinita para o mundo criado. Deixamos a bola de luz diminuir até que ela tenha alcançado o tamanho da bola que abranja o sistema solar da Terra. Perante nosso olho interno aparece mais uma vez a bola formada e registrada na ida. Observamos com isso como tudo é harmonizado e equilibrado; vemos a bola iluminada em forma perfeita.

A bola diminui de modo que ela envolve a Terra com sua aura. Aparece em nós novamente a bola desfigurada, a bola que vimos na ida. Vemos agora que diminui, torna-se perfeitamente redonda e brilhante de forma clara. A bola torna-se menor, toma um tamanho que envolve a parte da Terra onde estamos. Deixe a bola formada outra vez tomar a forma redonda harmonicamente. A bola ficará ainda menor envolvendo o país onde vivemos. Deixe a bola formada tornar-se perfeita. A bola diminui de modo que ela abrange os arredores e se transforma em bola perfeita, elucidativa. A bola se reduz até envolver a casa, a sala onde nos encontramos. Perante nosso olho interno, vemos mais uma vez a bola velha formada e, depois, como ela se torna totalmente redonda, harmônica e elucidativa. A bola se torna ainda menor até que tenha alcançado a extensão da bola de cristal nas nossas mãos. Vemos essa bola de cristal brilhar. Ela está com isso novamente limpa e carregada. Por intermédio do nosso anjo também nos descobrimos outra vez conscientemente. Ele nos levou na viagem pela luz e nos protegeu. Agora, ele também se recolhe outra vez para a bola de cristal. Nós lhe agradecemos e à existência do cristal e também à energia da vida universal, ao amor divino a que ele nos submeteu. Para terminar, nós nos vemos sentados mais uma vez no ovo de luz com limitações douradas. (Assim, nós mesmos estamos carregados e atravessados pela luz, e estamos protegidos.)

Com isso, regressamos da posição de meditação. Para isso, respiração profunda e movimentação do corpo ajudam.

32

As bolas de cristal claras com inclusões são unidas a nós por intermédio de muitos anjos, que vêm de hierarquias espirituais diferentes. Eles nos instruem como se pudéssemos manter uma relação com eles, como se pudéssemos pedir ajuda a eles. Toda a sua sabedoria reconhecida e penetrante, eles põem à nossa disposição num plano de muitas camadas e em vários lugares da nossa energia do pensamento. Da mesma forma, nos ensinam a usar o saber que alcançaremos através deles, no sentido de todo amor extensivo e divino.

As bolas de cristal leitosas fazem com que nos encontremos com anjos que têm a tarefa de nos ativar com sua energia ideativa, colocar em movimento de modo que se manifeste nosso saber mental. Estamos aqui relacionados com energias que nos levam a ostentar uma força criadora, que é visível no plano material da Terra — como realização de nossas idéias. Eles nos conduzem também através dos enganos e caminhos errados, através de desvios e obstáculos que dificultam a colocação do nosso pensamento. Com isso, nos ensinam também a recorrer ao significado desses empecilhos que só podemos vivenciar quando entrarmos na decomposição dos bloqueios.[1]

Os anjos das bolas de cristal leitosas estão aqui em menor número, para nos dar clareza nas nossas relações. Essa é a tarefa dos anjos das bolas de cristal claras com inclusões. Os anjos da bola de cristal leitosa enevoam, até mesmo encobrem, a fim de nos possibilitar a realização de um ideal. Com isso, pode ser que nossas idéias, apresentando exigências tão elevadas, fossem associadas, que elas fossem idealizadas, tornando-se irrealizáveis. Eles impedem que "não mais vejamos as árvores perante a floresta ruidosa".

Cristal de rocha em polimento de brilhante

Existem cristais de rocha puros que são polidos e trabalhados para jóias como um diamante facetado. Cada plano que nasce através disso está relacionado com um "anjo da pureza", que, com sua limpidez e forma, é contatado energeticamente por intermédio de um exército de anjos. Assim, estaremos envolvidos com um grande número de anjos se usarmos um cristal de rocha desse tipo. Uma irradiação brilhante de luz não sai somente da pedra, mas, também, daquele que a traz, sai essa luminosidade elucidativa. Sentimos, muitas vezes, "como se estivéssemos nas nuvens". Muitas coisas vão ser mais fáceis na vida, porque somos levados por sobre os obstáculos por grande número de anjos. Definimo-nos por uma colocação de vida que nos leva a tudo com mais facilidade. Mas, ao mesmo tempo, encontramos também uma liquidação de apresentações de desejos, retratos de nós mesmos e esperanças de vida que excedem etc. Encontramo-nos em muitas situações e interesses voltados para a simplicidade, e descobrimos a variedade e a beleza de ser simples.

DIAMANTE

Anjos do conhecimento

O rei das pedras nos deixa vir contatar os "anjos do conhecimento". Eles nos dão forças para aprender a dominar nossos sentimentos e impulsos naturais. O desenvolvimento da consciência humana é orientado para se sujeitar à Terra. Podemos pegar a "terra", por um lado literalmente, e considerarmos como Terra aquela onde vivemos como seres humanos. Para tanto a Terra é também expressão para os terrestres, encarnados, materiais, ao contrário do que é para o Céu, para o divino, os espíritos, o lado espiritual. Nós, homens, devemos descobrir de novo nosso potencial espiritual na nossa existência terrena; devemos ativá-lo e aprender a utilizá-lo, e, desse modo, reconhecer que o espírito forma a matéria e com isso também a domina. Isso nos ensina também que a matéria é submetida pelo espírito, e encontramos novamente o espírito na matéria — a força divina. Não é por isso forjada para desprezar o plano material, o terrestre — se tal acontecesse desprezaríamos a infinita energia criadora de Deus. Trata-se muito mais do conhecimento da penetração, ou seja, que não preservemos apenas um quadro do mundo, aquele que só vê o mundo exterior (visível) como a única e última realidade, mas, sim, que possamos reconhecer também a existência, por detrás deste mundo físico, de hierarquias espirituais que formam o plano terrestre e manifestam-se por meio dele.

Os "anjos do conhecimento", que vêm até nós com os diamantes polidos, nos protegem na aspiração da liberação e independência dos nossos impulsos físicos, sentimentais e mentais, que nos detêm. Tais anjos nos proporcionam um impulso natural por intermédio da razão para o reconhecimento e a realização, tanto que reconhecemos e recorremos à energia dos espíritos, como instância dirigida, para ensinar-nos a dominar o plano terrestre, material, físico. Não se trata, com isso, do deslocamento da nossa energia de impulso, mas, sim, de sua transformação. Podemos reconhecer nesse processo que, em nossa energia de impulso sexual, está oculto um potencial muito maior do que a satisfação da nossa necessidade física e material no plano terrestre. Com a libertação da dependência, nossa energia sexual deve-se esgotar no plano físico, pois chegamos com essa energia ao nosso potencial criado. Isso não quer dizer que não deveríamos mais vivenciar nossa energia sexual fisicamente. Mas devemos aprender que esta não é a única possibilidade de vivenciarmos tal energia. Como em toda a criação, existe aqui também uma correspondência da força espiritual no plano material, que nós, como homens, podemos vivenciar na mais densa vibração do nosso corpo físico no mundo mais denso criado, na Terra física.

Trata-se aqui de reconhecer que, também em outras áreas da nossa vida, por "detrás", ou, melhor dizendo, no mundo físico geral existe um mundo espiritual correspondente, que proporciona aquilo que não vemos como realidade, expressão e energia — o mesmo acontecendo com o potencial de nossa energia sexual. O potencial espiritual da energia sexual nos une a uma fonte de energia que nos dá inspiração, alegria e força.

Esse processo de conhecimento e elevação ocorre em muitas vidas na Terra, nas quais a alma sempre toma corpo e se submete ao processo de retificação, que serve ao aperfeiçoamento, refinação e perfeição — assim como também o diamante bruto chega por meio do seu rico polimento em facetas à beleza dos brilhantes com sua transparência clara e intensidade de luz perfeita.

Se nos sentirmos em relação com os anjos dos diamantes, encontraremos a força de alguma coisa maior e mais preciosa em nós, a qual nos estimula a deixar crescer interiormente essa qualidade de energia e nos aproxima da perfeição do ser. Esse anjo vem até nós — assim como o anjo do cristal de rocha — através do chacra coronário, iluminando nosso espírito, dando a ele energia e o fortalecendo nas relações com as estruturas por intermédio do impulso interno no homem.

PIRITA

Anjos da honra

A pirita nos leva a contatar com os "anjos da honra", aqueles que enaltecem e exaltam a força divina e nos facilitam um sopro da sua magnitude. Eles levam a luz dourada à nossa aura e estabelecem, de diferentes maneiras, contatos com altas energias de luz de outros planetas e sistemas solares.

Embora a pirita não seja uma pedra — mas, sim, um metal — e também não brilhe e transluza, ela tem uma posição muito especial, um anjo existente. Consideremos então algumas formas na qual a pirita aparece: cubo de pirita, sol de pirita, pirita em contato com a turquesa e pirita em contato com o lápis-lazúli.

Cubo de pirita

O cubo de pirita é encontrado freqüentemente na areia, por exemplo, na Espanha. Ele parece ser agraciado pelo Céu, pois sua forma de cubo não vem do polimento, mas, sim, da Natureza. Isso tem um significado peculiar, pois o cubo é uma forma específica e segura de valor simbólico. Os anjos que vêm até nós com o cubo de pirita trazem consigo uma alta energia de luz de outros planetas, com a qual eles nos anunciam a onipresença da luz divina. Eles nos trazem também a sabedoria e inteligência ocultas na luz desse outro planeta. Essa inteligência e a sabedoria manifestam-se aqui na Terra por intermédio do portador do cubo de pirita, e querem ser eficazes no mundo visível fisicamente. Um aspecto de conhecimento espiritual, uma idéia, uma experiência mística são típicos das energias desses anjos. Eles nos dão impulso e energias das altas fontes para nossa consciência divina; essas fontes nos revelam as novas, admiram-se perante a magnitude da força do Criador, e abrem canais para que essas energias possam ser transpostas e aplicadas em nossa vida na Terra.

Sol de pirita

O sol de pirita é encontrado no interior da Terra e tem a forma de um disco. Ele apresenta uma clara centralização no meio da energia da estrutura do plano superior, de onde os raios vão para fora da irradiação de forma reveladora. É a imagem do sol com sua energia não esgotada. Os anjos do sol de pirita nos levam a contatar com energias solares de um outro planeta ou sistema solar. Eles nos preparam para a nossa vida como homens solares, onde nós — como um sol — somos encarnados centralizando em nosso interior uma fonte de luz constante e vigorosa, repousada em si, sempre se deslizando da pura consciência. Aprendemos a ostentar uma alma radiante, serena, no nosso longo caminho de elevação da nossa consciência de luz com os anjos do sol de pirita, assim como a experimentar esse perfeito repouso, quando estamos centrados em nós mesmos e aprendemos a empregar a forte energia poderosa-criadora, que então sai em massa de nós e "move montanhas". Isso é um objetivo apresentável do desenvolvimento da consciência humana? É o estágio intermediário de uma alma iluminada? Os anjos do sol de pirita nos protegem, ao mesmo tempo, das apelações e agressões da escuridão, que finalmente são atraídas pela parte inconsciente da nossa alma, onde os anjos nos abastecem com grande irradiação de luz, que é visível na aura na altura do chacra esplênico.

Pequenas partes sutis de pirita se unem também a outras pedras preciosas — freqüentemente, lápis-lazúli e turquesa. Por isso, essas pedras opacas estão relacionadas com vários "anjos da honra" menores e retêm, então, uma quantidade de energia especial. Essas pedras opacas não trazem na sua essência a energia de um anjo.

Lápis-lazúli com pirita

Por intermédio da pirita vêm para o lápis-lazúli pequenas espécies de anjos, que se juntaram com a vibração clara e cósmica para nos levar a uma estrada de luz ou, também, a uma ilha de luz — depois que são divididos como as inclusões da pirita no lápis-lazúli — no nosso mundo de apresentação espiritual. Com isso, nosso olhar interior e a solidariedade para com o mundo espiritual são movidos em direção à luz correta, o que nos livra, por um lado, de sermos castigados pelos seres que nos culpam. Por outro lado, encontros internos com seres espirituais são acompanhados pelos "anjos da honra" da pirita. Eles nos ensinam uma atitude respeitosa e glorificadora nas relações com os seres espirituais claros, ou seja, elucidativos.

Turquesa com pirita

Com a pirita vêm pequenas espécies de anjos para a turquesa, que guardam sua função de proteção; do mesmo modo, reforçam a qualidade de força conservadora das turquesas, onde elas correm e carregam as energias atraídas do Cosmos por meio do princípio de ressonância adicional, com sua luz. Elas indicam uma inequívoca direção, o sentido em que essas energias devem ser aplicadas: para confirmação do amor divino de energias nascidas na nossa aura, para as quais demos provas ao Criador, a fonte de toda a sabedoria, agradecimento e honra — a fim de que isto seja firmado mais em nós e em si mesmas.

Não só por meio da vibração da turquesa, mas também da profunda camada da alma, vêm os anjos que estão ainda na escuridão da inconsciência e levam a luz para lá, participam da luz divina e despertam com isso inconscientes para a vida, instigando para ascender nas consciências, serem luminosos e manifestar-se. Para isso, as palavras que falamos são carregadas com a força dos anjos dourados e brilhantes da pirita. Eles nos deixam encontrar, também, as palavras de agradecimento, de atenção e alta consideração, com as quais honramos a Criação.

Então, mencionamos os anjos do cristal de rocha, do diamante, e pirita e os conhecemos mais profundamente com relação às suas atuações. Eles estão ligados da sua essência às pedras, por intermédio das quais eles podem vir até nós. A condição para isso é que reconheçamos sua existência e peçamos a eles sua atuação. A direção da nossa consciência para os anjos possibilita seu aparecimento.

Esses anjos descritos até agora entram em nós através da aura da cabeça, que está em permuta energética com os chacras coronário, frontal e laríngeo.

Devido à vinda dos anjos, por meio das pedras, e ao nosso chamado, deveríamos colocar a pedra com a qual queremos meditar e fazer pedidos ao anjo correspondente no chacra frontal (acima da raiz do nariz). Um simples pedido "pensado" (por exemplo que a vinda do anjo da pedra é desejada) é suficiente para possibilitar a ele uma entrada para o campo de energia por intermédio da irradiação da pedra. Podemos imaginar que ele "aparenta" ser como a pedra colocada — mas ele é bem maior e mais luminoso. A forma da pedra nos mostra a sua forma externa, sua aura, seu "vestido" de luz. As inclusões ou a formação da pedra mostram as concentrações de luz da sua essência, que nos lembram, ao olharmos, alguma coisa concentrada, na qual podemos reconhecer espontaneamente um simbolismo ou energia que nos é confiada. De certa maneira, esse é um processo de revelação, no qual se torna visível a nós a qualidade de um ou mais anjos na pedra e, com isso, acessivelmente compreensível. Os anjos, que nos tocam através da aura, estendem-se para além de nós e estão em contato, principalmente, com nosso corpo espiritual, por meio do qual eles influem nas nossas potências espirituais. Estes são nossos pensamentos e modo de pensar, com a mais densa vibração material. Por esse processo se encontram os mundos de idéias, inspirações e intuições para o espírito puro, que não é mais alcançável e apresentável com o nosso pensamento lógico. Os anjos têm também a incumbência de transformar tanto as tarefas como as suas energias, uma vez que eles alcançam todos os graus espirituais e conseguem um canal de energia que corre por todos os nossos potenciais espirituais, unindo-os uns aos outros.

As pedras atraem os anjos junto com a nossa consciência, que se abre ao mundo dos anjos. Elas condensam e concentram, com isso, as energias desses anjos e dão a eles "imagens" energéticas através da sua clareza material. Elas aguçam e ampliam, com isso, nossa relação consciente com os anjos e os nossos corpos de energias espirituais — aqui, especialmente, com nossos corpos espirituais.

Uma possibilidade de vir a entrar em contato com o mundo dos anjos por intermédio da pedra é a meditação sentada. Deixamos nossas mãos sobre o peito, como uma concha, e colocamos dentro delas a pedra. Depois disso, imaginamos como um raio luminoso da pedra em nossas mãos vai para cima, para o nosso olho interno, que também é chamado de "terceiro olho" ou "olho divino", e de lá aflui a nós e satisfaz nossa aura com a luz. Adicionalmente, pedimos aos anjos da pedra seu aparecimento e podemos imaginar, com isso, como o anjo se separa da pedra e se manifesta com o seu campo de energia por detrás dela. Se mais de um anjo está em relação com uma pedra, chegam também mais anjos e carregam nosso campo de energia. Se quisermos terminar a meditação, agradecemos ao anjo (ou aos anjos), assim como à pedra, e imaginamos que o anjo volta outra vez para a pedra. Da mesma forma, deixamos o raio de luz que foi da pedra para o interior do nosso olho, voltar para a pedra novamente. Como no começo de cada meditação, devemos aqui também pedir por uma energia de Deus que nos satisfaça e proteja, e agradecermos, finalmente, por isso. A apresentação fortalece essa energia, para estarmos no ovo de luz que apresenta as limitações de luz dourada. Devemos pensar também na purificação e energização da pedra, na verdade, no início e no final de cada meditação. Vemos, então a pedra brilhar na luz divina.

Se quisermos vir a contatar com um anjo muito rapidamente, por exemplo, durante o dia em situação na qual poderíamos precisar da proteção de um anjo, é só levarmos a pedra à mão e, a apertando-a, pedirmos internamente para que o anjo possa ajudar-nos. Retemos, então a pedra na mão por algum tempo, até que ocorra uma mudança entre nós e a pedra e tenhamos a sensação de poder soltá-la outra vez. Nossa atenção deve estar voltada também para um curto agradecimento e para o brilho da pedra.

Com algum exercício nas relações meditativas com a pedra é possível, também, chamar o anjo, se virmos a pedra correspondente brilhar somente perante nosso olho interno. Encontraremos, assim, a assistência do anjo. Para o mundo espiritual é de menor significado se a pedra está perto ou longe de nós, diretamente nos arredores. Nosso chamado, nosso pedido e nossas energias de manifestação são suficientes para se relacionarem diretamente com tais forças também à distância. A clareza de nosso pedido e a fixação da nossa imaginação são importantes para isso. A revelação da nossa energia de crença caminha por aí; essa energia — assim como a imaginação — é evitada e restringida por meio da inteligência limitada do entendimento logicamente encaminhado. Nas imaginações e energia de crença correspondentes, podemos utilizar, dentro de nós, o domínio que nos permite ver o mundo espiritual com o olho espiritual; então, a clarividência se revela. Também nesse contexto as pedras nos ajudam, pois sua tarefa é a de condensação da energia. Assim, as pedras luminosas nos tornam também sempre visíveis ao mundo claro e luminoso, no qual elas condensaram em si os campos de energia, que podemos novamente transformar e fazer voltar ao espiritual com a nossa consciência. Podemos, com isso, ver a pedra como imagem concreta do campo de energia espiritual. Nossas imaginações são ativadas por esse processo e nossas percepções retêm uma confirmação direta, pois a energia da pedra condensada traz uma experiência consciente para o nosso corpo, o nosso domínio do sentido e do pensamento — nos planos que conhecemos por intermédio das nossas percepções ajustadas na matéria. Com isso, a nossa crença com relação à existência do mundo espiritual é, em compensação, fortalecida.

CHACRA LARÍNGEO E CHACRA CARDÍACO

ANJOS DAS PEDRAS POLIDAS E FACETADAS

Anjos que vêm até nós através dos chacras laríngeo e cardíaco estão relacionados com as pedras que se alçaram, no decorrer do seu crescimento, do domínio opaco ao transparente, muito iluminado. As partes iluminadas da pedra são levadas, por meio do polimento especial à faceta, para um estado que só manifestam sua iluminação e sua cintilação. Com o polimento, aparece a força da irradiação completa de uma pedra; a beleza que está dormindo é despertada para a força irradiadora. Ela traz consigo a vibração mais preciosa da pedra em crescimento consigo, assim como melhora a vibração produzida pelas pedras polidas. Com essas pedras estão relacionados os anjos que encarnam, brilhante e puramente, a respectiva cor da pedra, assim como sua forma no plano espiritual. Não serão tão puras e iluminadas as qualidades das mesmas pedras polidas como cabochão. Este polimento traz uma conseqüência diferente daquela do polimento facetado. É, antes, uma irradiação global e extensa com pouca intensidade — exceção feita aos rubis-estrela e às safiras-estrela. O polimento facetado traz, claramente, energias ordenadas e diferenciadas das mais puras irradiações. Meditamos com esse polimento facetado junto ao chacra laríngeo e ao cardíaco, pois aqui nos tocam os anjos mais puros das pedras coloridas. Sua expressão de energia clara tem conseqüências diferentes na nossa aura e, com isso, nos nossos diferentes corpos de energia.

Às pedras polidas em facetas estão relacionados mais de um anjo, e, na verdade, a cada faceta um anjo. Uma pedra polida facetada pode ter diferentes formas. Em seguida, vêm mensagens inequívocas de seres angelicais: redonda, oval, forma de gota, com oito ângulos. As pedras facetadas podem ser polidas em forma e ordenação diferenciadas — muitas pequenas facetas no suporte.

Existem muitas maneiras e formas de polimento das pedras preciosas, que aqui são descritas. Isto não quer dizer que essas pedras polidas facetadas não estejam relacionadas com os anjos. Muitas apresentam semelhanças com as formas mencionadas. Então os depoimentos, que, por exemplo, são feitos por intermédio da forma de oito ângulos, referem-se também à forma de baguete, forma polida quadrada e outras retangulares — mesmo quando com diferenças insignificantes. A forma antiga traz consigo as energias da oval e da octogonal, e une essas duas

45

potências, harmonizando uma com a outra. A bola facetada aperfeiçoa as forças da forma redonda e aumenta a consciência dentro de nós, ativando nossos altos ideais. Uma exceção, na verdade, é o chamado polimento naveta, que se, por um lado traz consigo uma força filtradora rapidamente eficaz, por outro lado atua com muita rapidez e promove momentos de energia, que não podemos agarrar em conseqüência dessa forma. Ela "desliza", por assim dizer, quase não nos toca, e fortalece em nós a incerteza e a não-obrigatoriedade; pode desligar-nos também da decadência, para preservar-nos de sentimentos escondidos em nosso íntimo, e solidificar-se. Na verdade, a energia da pedra preciosa é tão rápida no polimento naveta que não pude compreender, de maneira diferenciada, as mensagens desses anjos. Ela é como um sopro que, quando se prevê, já passou outra vez. Isso está estabelecido na essência da forma e, em conseqüência, dos anjos superiores em polimento naveta. Aceitamos sua energia "inconcebível" através da rapidez. Em todo caso, eles nos ajudam a passar rapidamente por uma coisa, continuam sempre nos tocando e nos lembram com isso também, muito rapidamente, das pendências, do não-domínio na nossa vida.

Nem toda pedra se presta ao polimento; há pedras para cada tipo de polimento. E a indústria das pedras preciosas preocupa-se com isso, tanto que sua beleza (das pedras) se torna visível da melhor forma possível. Cada uma dessas pedras polidas facetadas possui um anjo superior que une os muitos anjos das facetas e está energeticamente ligado a eles. Outra vez a pedra nos dá uma imagem manifestada dos anjos com ela relacionados. A forma externa — especialmente a camada superior da pedra polida — nos mostra a essência do anjo; as formas redonda, oval, em forma de gota e retangular são as essenciais características diferenciadoras, ao lado da cor. As formas das facetas nos dão as imagens dos anjos que estão relacionados com o anjo superior e protegem sua energia de brilho e a energia potencial.

GRANADA

Anjos da construção

A granada aparece em várias cores. Mais freqüente e mais conhecida é a granada em vermelho forte, resplandecente e ardente, à qual queremos aqui também nos dedicar.

Os anjos que vêm com a granada estão neste vermelho forte, que, na verdade, é irradiado pela luz que o vermelho deixa corar. A isso está relacionada uma força muito estimuladora, ativa, que tem a ver com a matéria. Esses anjos despertam e protegem nossa alegria nos atos e manifestam em nós o fogo do entusiasmo, que nos leva adiante e entusiasma a outros. Conforme a forma da camada superior da pedra, podemos reconhecer a forma do anjo superior. Nesse caso, é um "anjo da construção", pois sua força ativadora está relacionada com a produção criadora, o plano da encarnação e o plano terrestre.

Granada oval

Se o plano superior da pedra for oval, o anjo superior, assim como todos os anjos das facetas dependentes dele, esforça-se para a formação do corpo humano. Esse anjo "nos dá asas" no amor sexual, a fim de conseguirmos gerar crianças, para fazer sempre crescer a nova humanidade. Eles dão forças aos nossos órgãos para se regenerarem, às células para se renovarem, e protegem a formação dos glóbulos vermelhos do sangue.

Granada octogonal

As granadas octogonais polidas trazem consigo os anjos, que nos tornam fundamentais em nossa vida na Terra. Eles nos dão força para realizar a construção da casa ou para mobiliar um apartamento, construir uma empresa, galgar os degraus para alcançar uma posição, fazer uma especialização profissional, uma faculdade, um aperfeiçoamento etc.

A forma do anjo superior que está ligado à forma octogonal da granada nos dá, com linhas e camadas puras e claras, uma energia ordenada e estruturada, que não só nos aproxima de alguma coisa com "fervor", como também nos presenteia com um fogo contínuo da força de ação afetuosa e resistente, da energia plena e realizadora para os planos concebidos.

Granada redonda

Com uma granada com camada superior redonda chega um anjo superior que faz com que nasçam em nós idéias, permitindo-nos traçar nossos planos. Todos os anjos atraídos por intermédio das facetas são subordinados a esta manifestação energética. Eles nos ajudam no conflito mental com uma "centelha" da idéia, do desejo, até o plano ficar amadurecido, arredondado, pronto para realizar o objetivo. Com isso, trata-se outra vez de idéias, desejos, projetos que afetam o plano material, como extinções ou relações comerciais entre sócios, a ansiedade por uma criança, a escolha de um caminho profissional, o esforço para obter uma qualificação profissional, uma nova posição, a procura de um apartamento ou casa, a planificação de uma instalação num apartamento ou da construção de uma casa, a organização de uma viagem etc. Trata-se aqui, sempre, de uma força de impulso que está no plano mental, mas é "imaginária" para os interesses terrestres. A maturidade do projeto, todas as possibilidades incluídas e arredondadas são as características essenciais da energia que vem até nós por intermédio desse anjo.

Granada na forma de gota

A granada na forma de gota nos coloca em contato com um anjo superior que toca, especialmente, o mundo do sentimento da nossa alma, juntamente com todos os anjos que estão relacionados com as facetas. Esses anjos cuidam para que um amor entusiasmado por alguém, ou alguma coisa, se realize com estabilidade e fidelidade, tanto que a chama não se limitou a pegar fogo rapidamente como um "fogo de palha". Eles nos ajudam a construir sentimentos de amor para com um ser humano ou uma coisa. Também os sentimentos feridos, que reencontramos na nossa mente —, mas freqüentemente também em nosso corpo, como experiência dolorosa de doença manifestada —, são expulsos e aliviados pelo calor agradável. Muito especial para a forma de gota da granada é a direção confirmada do sentimento de amor por alguém ou alguma coisa, seja um sócio, a família, colegas, amigos, um animal, uma casa, uma atividade. Os anjos satisfazem o nosso mundo de sentimentos com amor atuante e estabilidade.

Os anjos da granada nos alcançam através dos chacras laríngeo e cardíaco, mas também através de nossas mãos. Se usarmos uma jóia de granada junto ao pescoço, os anjos atuam também através de nossa voz: fazem-na soar de forma agradavelmente calorosa e vigorosa. A granada junto ao coração dá a esse órgão físico sua energia forte, resistente, o que faz muito bem às atividades cardíacas. Em se tratando de usar um anel, a granada possui adicionalmente uma vibração "robusta" que contribui, especialmente, para a realização concreta.

RUBI

Anjos da beleza

O rubi é o "parente" mais próximo da safira. Ambos pertencem à família dos boleados, ou seja, a composição química é igual nas duas pedras, o mesmo quanto à argila cristalizada; também apresentam o mesmo elevado grau de dureza, peso específico elevado, assim como a mesma elevada refração, que os levam a aproximar-se dos diamantes. O que já se mostra tão nítido na comparação e demonstração exteriormente tem contextos claros no plano de energia "interior", espiritual, assim como conteúdos límpidos. O vermelho do rubi é de irradiação diferente do da granada. É tão singular que se fala, simplesmente, de rubi vermelho: nesse vermelho tem também luz azul; na verdade, a bonita luminosidade da safira azul. Esse azul profundo leva consigo uma vibração silenciosa e espiritual para o vermelho ardente, estimulante, adequado ao mundo físico. Assim, dois planos são unidos um ao outro: o terrestre e o espiritual; sexual e espiritual; material e espiritual. Fundamentalmente, trata-se com isso de uma elevação do amor, de uma união da sexualidade com a espiritualidade. Os anjos que chegam com os rubis polidos facetados são os "anjos da beleza". Eles deixam a nossa beleza crescer — aquela constituída da interpenetração afetuosa do espírito e da matéria — se a nossa força sexual (e, com isso, pensa-se na nossa energia de impulso ativa e total, o vermelho) vem para a relação consciente com nossa potência espiritual e com nossa ambição de união "divina". O reconhecimento e o reencontro da única parte divina na união com a parte divina do companheiro — Deus em Deus como homem e Deus vivem simultaneamente — nos conduzem aos anjos do rubi. Eles nos satisfazem com a beleza do amor e nos ensinam a nos amarmos uns aos outros com beleza e atenção divinas.

Os rubis raramente são octogonais e lapidados em lances. Isso está relacionado evidentemente com a força interna da pedra. Eles não foram criados para levar adiante "fundamentos" no plano terrestre, como, por exemplo, uma construção de casa. Oval, redondo e em forma de gota, os rubis polidos são, ao contrário, encontrados (em casa) com freqüência.

Rubis ovais

O anjo superior dos rubis ovais polidos satisfaz completamente nossa aura com seu rubi vermelho ardente. As muitas facetas nas partes superior e inferior da pedra estão relacionadas com um grupo completo de anjos, que atuam juntamente com o anjo superior e aparecem atrás dele. Distende-se muito a nossa aura do corpo físico com esse rubi vermelho do anjo, tocando também nosso corpo espiritual, e a interação se realiza por partes. Nossa espiritualidade contata com a força da beleza do amor e do êxtase carnal e penetra o sentido da vida e da vida carnal. Então, esses anjos dão à nossa sexualidade nova dimensão, que experimentamos com todos os sentidos colocados à nossa disposição e podemos vivenciar com nosso corpo. Através dessa experiência, modifica-se nossa necessidade de acordo com a sexualidade, ou, melhor dizendo, conforme a maneira como essa sexualidade pode ser vivida, aumentada e manifestada para vivenciar a beleza das existências humana e divina na união dos seres. Nesse contexto também é interessante que, freqüentemente, o rubi seja trabalhado junto com o brilhante (o diamante polido para uma jóia). Aqui se protegem duas forças que trabalham na transformação da energia sexual.

Os "anjos do conhecimento" nos ensinam o domínio da natureza do impulso através do diamante, e os "anjos da beleza" nos aproximam da união da sexualidade e espiritualidade através do rubi, vivendo a unidade do corpo e do espírito como experiências físico-carnais. Ambas as pedras nos permitem aspirar a receber e a viver uma liberdade do impulso contido e, também, uma relação consciente, elevada como energias espirituais. As necessidades se modificam.

Rubi redondo

Anjos que chegam com o rubi com camada superior redonda atuam mais no nosso mundo de agradecimento. Eles protegem nossa ambição da realização da unidade em nós, e nos conduzem a uma concentração e formação, com as quais aprendemos a reunir forças — assim como as partes inferiores das facetas do rubi com camada superior redonda terminam tudo em um "ponto". Esses anjos nos ensinam a estar neste ponto com a nossa atenção, o que fazemos corretamente, para experimentarmos com isso a beleza e o amor da Criação. Eles se ocupam muito a fim de nos devolver nossos pensamentos emigrantes, com os quais estamos em qualquer outro lugar menos na atividade e no local onde nos encontramos efetiva e fisicamente. O anjo superior zela para que os anjos das facetas façam isso com zelo e repletos de amor. Eles nos ensinam, com esta manifestação exemplar, a não nos irritarmos com isso nem sermos agressivos, ou nos zangarmos quando percebermos como somos desconcentrados e como espalhamos nossas energias com essa atitude; mas, sim, devemos simplesmente retornar com amor à nossa concentração. Aqui, a unificação do material e do espiritual está estimada em outro plano, como no rubi oval. Trata-se no rubi oval da união física e do sentimento extásico de unicidade com a divindade. O rubi redondo polido nos ensina a reconhecer nossa unidade com Deus dentro de nós mesmos — em tudo que fazemos, com atenção e amor perfeitos. As forças da consciência ativa são unidas a uma concentração natural e nos deixam experimentar a beleza divina em tudo. Nossos pensamentos são conduzidos para onde se encontra nosso corpo físico — isto pode ser no plantar, no comprar, no comercializar, no cultivar flores, no preenchimento de um formulário, enfim, naquilo que estivermos fazendo. Espírito e corpo são um só.

Rubi em forma de gota

Os anjos do rubi em forma de gota intensificam nossos sentimentos até que entrem em profundo domínio da alma. Aqui são agitadas as vibrações da alma com o anjo do rubi vermelho, e experimentamos amor compreendido e perdoado em seu sentimento de dor. Com isso, a alma recebe energia para concluir velhos milagres e admitir as mudanças transformadoras. Assim se consegue uma elevação do estado de ânimo, com novas intenções e necessidades no gozo da vida do mundo sentimental. A tarefa principal desses anjos consiste no processo de mudança do ânimo. Por outro lado, são resgatados com isso profundos processos anímicos, nos quais a alma, com amor de existência limitada é confrontada com o mundo físico criado, assim como com o Criador espiritual. É encontrado, então, o caminho de volta da experiência da polaridade para a unidade original — mas agora consciente, ao redor das duas situações já conhecidas: desunião e união. Por outro lado, uma transformação da nossa mente que abrange todo o domínio do sentimento tem conseqüências externas no nosso sentimento. Aprendemos a viver independentes e livres e a nos reencontrar em tudo. Alegria, amor, beleza — enfim, sentimo-nos vigorosamente no nosso mundo sentimental.

Rubi estrela

Uma das especialidades do rubi estrela é a de que ele brilha através das agulhas de rutila fechadas em uma estrela de seis pontas. Este rubi em polimento como cabochão é, na verdade, tão transparente como as facetas dos rubis polidos. Mas a estrela luminosa, que, além disso, parece deslizar no movimento da pedra sobre a camada superior, nos deixa contatar com altas energias de luz de um outro planeta. Essa é a força unificada dos anjos que se interessam por este planeta e que aproximam de nós sua força e sabedoria elucidativas por intermédio do rubi estrela.

Esses anjos nos ajudam a viver nossa existência terrestre com amor respeitoso, a reconhecer Deus no próximo e a honrá-lo.

Se usarmos os rubis junto ao pescoço, eles nos ajudarão a falarmos de forma convincente, emprestam à nossa expressão oral sentimento e "espiritualidade", ou seja, brilho espiritual.

Rubis junto ao coração deixam esse órgão físico exaltado e dissolvem uma relação amigável entre "coração e razão".

O anel de rubi nos preserva da dissolução por um lado sexual ou, ainda, material da relação orientada e nos permite nos esforçarmos sempre para alcançar a realização da nossa necessidade física e anímica em um relacionamento.

Os rubis podem fazer-nos chegar a uma fonte de alegria, de vida agitada, e nos permite encontrar o sentimento da vida.

CITRINO

Anjos da luz

Com os citrinos polidos facetados vem até nós um pequeno sol luminoso. A maioria dos citrinos de que dispomos hoje no mercado são obtidos das ametistas. Por meio da ação do calor as ametistas violetas mudam sua cor conforme a temperatura e se transformam de amarelo claro a amarelo escuro ou castanho. Os citrinos crescidos naturalmente são de cor amarelo claro a amarelo limão, mas são encontrados muito raramente. Dedicar-nos-emos aos citrinos que são resultantes das ametistas: eles vieram transformados não só por meio do fogo acrisolado, como também por intermédio dos anjos que estão relacionados com os citrinos. Eles mantiveram com isso a purificação, a clarificação e um processo de transformação. Espontaneamente, eles nasceram com as ametistas violetas, que não devem mais ser atingidas racionalmente com nosso pensamento (veja também *Ametista*). Através do fogo, com o qual a ametista se torna citrino, eles não trocam somente sua cor. Eles transformam o violeta, não nos permitindo mais manifestação alguma em amarelo, que nos lembra a luz do sol visível no exterior e nos é muito confiado. Recebemos com isso uma luz, que é outra vez apreensível para o nosso mundo de apresentações. Com isso a intuição, as inspirações, as idéias do nosso entendimento, não mais no mundo espiritual compreensível, são transformadas em um nível de energia com o qual não somente percebemos a intuição espiritual, como também podemos transpô-la, ou seja, usá-la em nossa vida diária e realizar o que reconhecemos no plano espiritual interior.

Os anjos dos citrinos polidos e facetados surgiram com a energia transformada do fogo em um outro plano de vibração espiritual, a fim de nos tornarem acessível a intuição, que eles projetaram no alto plano da violeta, e nos ensinarem como podemos utilizar a luz da vida concretamente em nosso dia-a-dia. Eles são conhecidos pelo nome (a classificação) de "anjos da luz".

Citrinos ovais

Anjos que vêm até nós por intermédio do citrino lapidado oval ajudam especialmente nosso corpo carnal e seus canais de energia espiritual. Cada faceta está relacionada com um anjo amarelo luminoso e, respectivamente, castanho elucidativo, sendo que ele se mostra com aura oval e protege a ação do anjo superior. Os anjos que estão relacionados com os citrinos amarelos percorrem o sistema de energia espiritual do nosso corpo físico com a sua luz amarela, que se infunde por toda a parte, como o sol na Terra, e propaga força vital. Eles atuam especialmente no estômago, intestino, fígado, pâncreas e baço como uma lavagem purificadora, como um rio amarelo luminoso que corre através do aparelho digestivo, abalando e levando para fora pesos mortos desnecessários, material de escória e sedimentação. Por outro lado, eles cobrem o alimento ingerido com a luz, tornando-o digerível e preparando-o para os múltiplos processos de transformação que se realizam no corpo, onde é liberado especialmente para a parte espiritual no processo alquimista de digestão e levado à trajetória da energia. Eles se preocupam, também, com a construção dos glóbulos brancos do sangue. Se o citrino é de um castanho luminoso, seus anjos percorrem nosso corpo com calor agradável.

Citrino octogonal

Os citrinos octogonais polidos facetados estão relacionados com os anjos que fortalecem nossa autoconfiança e, com isso, procuram uma condição para nos impor na vida diária. Com eles, aprendemos a levar nossa vida responsavelmente e, também, a obedecer a um chamado interno. Muitas vezes ouvimos o chamado interno, mas acreditamos não ter força suficiente para aceitá-lo em nossa vida.

Os anjos do citrino octogonal nos ajudam a expressarmos com nossos atos o que queremos realizar — ocupando puramente a nossa própria pessoa profissional, comercial e familiar.

O citrino octogonal castanho está relacionado com os anjos que nos dão uma força especial e amor para a realização de planos de construção de casa. É uma pedra muito apropriada para os arquitetos, patrões, pessoas da construção e técnicos de finanças, enfim, para todos aqueles que estão relacionados com a produção de uma casa. Os anjos cuidam da inspiração no planejamento, da improvisação nas dificuldades não previstas e não calculadas, e nos dão uma "boa ajuda" para tomarmos a decisão correta.

Citrino redondo

Aqui estão os anjos que chegam incentivados pela energia, permitindo-nos parecer realizáveis nossas idéias, inspirações e percepções espirituais. Eles nos instigam a confiar no nosso comportamento e sabedoria internos, que são elucidativos e oniscientes. O anjo superior está arredondado na sua essência e irradia luz amarela clara — a cor da pedra à qual ele pertence. Os anjos que estão relacionados com ela por meio das facetas têm uma enorme realização centralizadora, pois sua força global está concentrada em um ponto — da mesma forma como a parte inferior do citrino lapidado termina em uma ponta. Assim, os dois existem na pedra e nos anjos correspondentes: o círculo, que traz consigo uma irradiação que se amplia, e a ponta, que indica a direção de um objetivo inequívoco. O diâmetro interior do círculo está aberto a idéias que querem ser acolhidas e unidas, e estão relacionadas com a parte superior da pedra. Os anjos pertencentes à parte inferior produzem a essência de toda idéia, o melhor que podemos deduzir de tudo, e nos mostram a direção que conduz a uma realização com sucesso. Se o citrino é castanho, estamos relacionados com os anjos que nos concretizam a circulação da vida, o regresso, e nos ajudam a diminuir o medo e o susto de grandes transformações, que trazem a morte consigo.

Citrino em forma de gota

Os anjos do citrino polido em forma de gota dão impulso ao nosso sentimento. O anjo superior do citrino de luz amarela, com a aura de uma gota gigantesca, cai como uma gota de luz em nosso corpo da alma e acolhe um mar de lágrimas não-choradas, que reprimimos quando nos sentimos machucados, não-entendidos, humilhados, desprezados em nosso sentimento. Ele nos ajuda a elevar nosso sentimento de valor próprio com seu exército de luz muito amarela; ensina-nos a não levarmos tudo tão a sério e a nos encontrarmos para tomar uma atitude pendente e gozar uma alegria segura.

Com os citrinos castanhos chega um anjo luminoso, castanho e poderoso, que nos dá consolo, com o auxílio de todos os anjos das facetas, e que aquece internamente. Ele deixa nosso sentimento frustrado se unir à energia e nos bloqueia; projeta a frustração para fora, tanto que nos sentimos livres, ágeis, elásticos e também prontos para nos desligarmos da atitude de teimosia.

Se usarmos o citrino junto ao pescoço ou sobre o peito, ele atuará nas coisas ainda pendentes e mostrará sua emergia curativa nos casos de doença súbita dos caminhos da respiração, de mucosa, de rouquidão, bronquite (aqui se utilizando, especialmente, o citrino castanho).

Usado junto ao coração, o citrino nos ajuda a projetar para fora, especialmente, a aflição e a nos dedicarmos aos aspectos alegres da vida. Nós nos tornamos mais leves ao redor do coração.

Usado como anel, trazido na mão, o citrino é um fiel companheiro mediante a necessidade. Também nos ajuda a não reagir com frieza e blindagem à subtração do amor, quando ele nos ensina a encontrar mais liberdade de doação e reconhecimento do outro.

O citrino octogonal castanho polido, que ajuda por exemplo os arquitetos na realização de planos de construção, como anel pode manifestar-se trazendo sua realização com mais energia.

TOPÁZIO PRECIOSO AMARELO

Anjos da maturidade

O topázio precioso é encontrado em muitas cores: em todas as combinações rosa até chegar ao vermelho, em amarelo claro até a cor de mel, e sem cor até azul suave. Muito freqüentemente se encontram pedras amarelas até marrom-ouro, assim como sem cor até azul suave. O topázio precioso azul suave em polimento facetado não é aqui descrito porque é obtido como todo topázio precioso sem cor recebendo a cor azul-clara intensa por meio da irradiação com o urânio. Eles são tão parecidos com a água-marinha que podem ser confundidos.

Voltemo-nos para os topázios preciosos amarelo-ouro, que vão até amarelo-ouro profundo e marrom-dourado luminoso.

Com os topázios preciosos amarelos polidos e facetados vêm até nós os "anjos da maturidade", com a luz do sol muito calorosa e brilhante — como o sol no verão, que nos envia sua luz suficientemente amarelo-ouro. Esses anjos nos dão um sentimento de vida ativamente eficaz e duradouro, que nos tira de situações apáticas e aflitivas e nos dá nova atividade alegre. Mas eles também ajudam a desenvolver a perseverança de que sempre necessitamos no processo de amadurecimento, para atravessar o fundo do vale e "mover montanhas", para reconhecer sentido no "sobe e desce" da vida, receber com a força emancipada o desafio e aprender a ver o que é bom, tirando o melhor disso tudo. Além do mais, os anjos nos dão impulso para terminarmos o que foi começado.

Topázio precioso amarelo oval

Os anjos do topázio precioso polido oval percorrem com sua luz amarelo-ouro nossa aura e nos ajudam a sanar espasmos do estômago e, principalmente, espasmos no corpo. Como uma corrente amarela, flui através de nosso corpo a luz de muitos anjos que se uniram ao anjo superior em amarelo-ouro cintilante e atuam como um agradável banho de óleo quente, que desarticula nosso espasmo, mas também "lubrifica" todas as posições frágeis e sem elasticidade de dentro para fora, tanto que, em geral, nos tornamos ágeis com nosso corpo. Um processo de amadurecimento que, com o tempo, não se limita só ao nosso corpo, como também muda o nosso sentimento de vida em geral. Se desaparecerem do nosso corpo entorpecimentos, eles serão projetados para fora; entretanto, também aprenderemos a diferenciar e a não agir tão intransigentemente. Além disso, os anjos nos ajudam a encontrar confirmações fisicamente expressas — por exemplo, esporte, yoga, tai chi chuan e outros —, tanto que trabalhamos para tornar nosso corpo ágil. Eles nos permitem também amadurecer no reconhecimento de que o corpo físico é o veículo da alma aqui na Terra. O que está desarmônico, ou seja, doente no corpo, tem sua correspondência e repercussão na alma. Por outro lado, a alma, por intermédio do corpo, pode tornar-nos acessivelmente mais insistentes, em relação ao que temos ainda para mudar em nossos procedimentos e atitudes. Não podemos então passar por cima das dores do nosso corpo por muito tempo. Existem sinais da alma com os quais ela nos mostra que alguma coisa não está em ordem, que não vai continuar assim sem danos por muito tempo. A movimentação progressiva do corpo pode conduzir a um maior cuidado nas relações com nosso organismo e suas reações, tanto que aprendemos a ouvi-lo antes que ele nos force a isso com uma dor crescente.

Topázio precioso amarelo octogonal

O topázio precioso polido octogonal nos une aos anjos que protegem um processo de amadurecimento no nosso campo terrestre. Muito preservada é a energia amarelo-ouro dos anjos na forma octogonal, resguardando o que já existe e construindo em cima disso. Esse procedimento pode dizer respeito ao desenvolvimento profissional, à extensão familiar, à ampliação da casa, por exemplo, com a obtenção de um apartamento maior, uma casa mais ampla ou um estabelecimento. O anjo superior zela por todos os seus anjos ajudantes que se juntam a ele por intermédio das facetas, a fim de que ele repare que do adquirido até o momento nada se perde, mas, ao contrário, é utilizado o fundamento do conhecimento, experiências e energia manifestadora até então obtidos para dar um "passo" maior, que trará uma extensão do que está acontecendo.

Topázio precioso amarelo redondo

Os topázios preciosos polidos redondos são realmente raros. Eles levam a tranqüilidade para a nossa alma e livram os nossos pensamentos das tendências impetuosas e coléricas. Com o anjo superior amarelo-ouro, introduz-se em nós um outro temperamento, que é construído e consolidado por todos os anjos que sobrevêm por intermédio das facetas. Uma maturidade interna, que resulta especialmente da nossa atitude de vida e do pensamento resultante daquilo que nos ocupa no momento, além das idéias que surgem, cuida da transparência e do ajuste cauteloso.

Topázio precioso amarelo em forma de gota

Eles protegem nossa ânsia de liberdade na vida sentimental. Como uma gota de mel amarelo-ouro, a energia do anjo superior flui especialmente da alma para o nosso corpo e desliga, com o auxílio de todos os seus anjos ajudantes, os sentimentos entorpecedores. O calor percorre nosso frio mundo sentimental e traz uma alma exposta ao despertar do sol, tanto que somos "animados" por um novo sentimento de vida. Ao mesmo tempo, esse processo vai por aí com a libertação dos padrões de sentimentos que estorvam a nossa personalidade no seu processo de amadurecimento. Isso pode ser aplicado a um relacionamento forçado, como na relação com algumas crianças, ou outros parentes, amigos, companheiros, com um *hobby* "amado", que certa vez atraiu para nós muitos amigos, mas é ultrapassado para nosso atual estágio de desenvolvimento.

Mas esses anjos não trazem somente o dom para a maturidade, mas também permitem crescer em nós o sentimento de que é lucrativo viver, pois somos valiosos e temos direito à existência. Essa constatação ninguém pode tirar-nos. Se pensássemos que um outro ser humano poderia "frear-nos", bloquear nosso desenvolvimento próprio, deveríamos testar nossos sentimentos, para saber se eles são realmente assim. Se somos leais conosco, iremos verificar que ainda não estamos maduros e fortemente saudáveis para vivermos esse aspecto da nossa essência — com todas as conseqüências para nós mesmos. Os anjos do topázio precioso amarelo em forma de gota nos ajudam a obter a força necessária para o nosso autodesenvolvimento, para a plenitude da nossa essência, e ajudando-nos ativamente a transpor essa fase.

Se usarmos o topázio precioso amarelo junto ao pescoço, ele atua livremente na nossa voz, fazendo prosperar internamente tudo o que engolimos e tudo o que, em conseqüência disso, está no nosso estômago. Somos renovados, confrontados e podemos aprender, emocionalmente libertos, a manifestar, com uma serenidade segura, um "sorriso" sobre nós mesmos, ou seja, dizer de um modo ou de outro o que nos incomoda, nos culpa, nos coage, nos irrita... de forma que não ofenda aos outros, não esperando com isso a compreensão alheia ou seu consentimento, mas, sim, simplesmente comunicando, o que vai à frente dentro de nós e aprendendo a agir conforme a situação.

O topázio precioso amarelo junto ao coração nos propicia especialmente um "coração exposto ao sol", um ânimo sereno, que novamente distinguimos, entre toda tristeza e aflição, rapidamente. Cordialidade "sai em massa" da nossa essência.

Usado como anel, o topázio precioso amarelo é um trazedor de luz, que nos livra do sentimento de solidão no sentido do ser deixado sozinho. Ele nos permite encontrar em toda escuridão um ponto de luz, e nos aproxima da iluminação, na qual ele nos permite direcionar-nos sempre para a luz e para os aliados da luz — sejam homens ou condutores de espíritos.

PERIDOTO/OLIVINA

Anjos da sabedoria do coração

Com o peridoto vêm até nós os anjos em tons verde-oliva claro luminoso. Eles satisfazem nosso coração com o calor agradável e com a energia do sol. É como se o sol irradiasse para fora de cada faceta dessa pedra preciosa e como se desse um brilho quente muito especial ao verde, atuando, antes de tudo, de forma animadora. Essa pedra toca a sabedoria do nosso coração, instila algo sagrado e clemente na nossa irradiação, e possui também algo próprio, gracioso, sereno, lindo. Na Idade Média ela era um ornamento nos altares e foi usada pelos sacerdotes como anel. Os anjos do peridoto polido em facetas nos trazem uma serenidade agradável, que entra com toda a simplicidade, dando a conhecer sobre as leis e ciclos da vida e permitindo-nos pairar sobre as coisas — não presunçosamente soberbos, mas, sim, sabiamente e esclarecidos. Esses são os "anjos da sabedoria do coração".

Peridoto oval

O peridoto oval polido nos une aos anjos que fortalecem nosso coração, impedem danos a ele e ajudam a construir segmentações nos vasos que levam aos reforços do nosso organismo. O grande anjo superior, cuja aura oval brilha em verde-oliva quente, atravessa nosso corpo com essa luz, revitaliza o coração e nos dá de presente uma relação afetuosa com nosso organismo. Todos os seus anjos ajudantes, que aparecem por intermédio das facetas, se dividem em áreas específicas do corpo e contribuem para que as segmentações possam ser desatadas e transferidas.

Peridoto octogonal

Os anjos que vêm até nós através do peridoto octogonal polido imaginam que podemos sonhar criativamente. É um sonho ativo realizável — uma possibilidade de permitir que os desejos do quadro de sonhos se tornem realidade. Os anjos superiores com sua aura brilhante octogonal têm consigo uma energia manifestante forte, que é aumentada por todos os anjos que aparecem através das facetas. Em nós repousa o eterno saber da alma, com todas as forças que são necessárias para o ser humano descobrir e utilizar esse "tesouro". Para poder dispor desse bom conhecimento eterno, é necessária a purificação das camadas íntimas protegidas. Os anjos do peridoto octogonal nos ajudam a rever nossos desejos materiais, nossos motivos, necessidades e esperanças na vida. A princípio, quando desejamos alguma coisa "com coração puro" — seja uma casa, um carro, viagem, relacionamento, desenvolvimento pessoal, posição de trabalho etc. —, podemos tocar certas camadas da alma por intermédio desses anjos e ser protegidos em sua irradiação energética. Com isso, eles penetram na nossa consciência e podemos então perceber imagens da alma para a realização dos nossos desejos puros.

Periodoto redondo

Com o peridoto polido redondo vêm até nós anjos de sabedoria divina. Eles nos ensinam a purificar nossos pensamentos com os sentimentos da alma. O anjo superior vem até nós em sol emanente verde-oliva, com aura em forma de círculo perfeito. Ele nos protege, e nos instrui, com o auxílio de todos os seus anjos ajudantes, na arte de dar e receber. Todo amor extenso que é emanado pela sabedoria divina nos permite reconhecer os contextos do sentido da vida, a lei da causa e efeito e o amor incondicional de Deus, que não fecha a porta para nada, que nada condena, mas sim que faz o amor completamente puro acompanhar-nos sempre,indicando o caminho para o nosso objetivo. Esses anjos trabalham junto à nossa atitude de vida espiritual, e nos ajudam a reconhecer todo o amor em tudo o que acontece. Nossos padrões de pensamento são orientados por um sentimento de mundo uniforme. "Vemos" com a sabedoria do coração e não com a razão separadora, polarizadora, condenadora.

Peridoto em forma de gota

Por intermédio do peridoto polido em forma de gota nos relacionamos com os anjos da alegria verdadeira. Nosso mundo sentimental também reage à mensagem interna da alma que nos toca com a sabedoria do coração. O anjo superior luminoso verde-oliva atua como um ímã que atrai sentimentos agravantes, tristes, castradores, separando-os da nossa alegria. Ele satisfaz esses sentimentos com luz pura e os afasta, com o auxílio de todos os anjos que estão à sua disposição para tratar do coração. Podemos então ver esses sentimentos sob nova luz, num contexto maior, desatados da tragédia e do preconceito. Assim, temos a possibilidade de relacioná-los e de decidir, de forma nova e consciente, se vamos precisar desses sentimentos mais adiante ou, se fizermos as pazes conosco, entendê-los e nos sacrificarmos. Os anjos da sabedoria do coração que vêm até nós com o peridoto em forma de gota nos ajudam, com sua irradiação sol emanente, calorosa e ainda animadora, a percorrermos o caminho do coração e conservá-lo caloroso e bom. Eles nos preservam de recairmos na escuridão, na melancolia e na ausência da esperança em Deus.

O peridoto atua especialmente quando é usado junto ao coração. A paz agradável, que "sai em massa" da fonte do amor e da sabedoria extensiva, satisfaz todo o nosso ser e nos permite reconhecer muitas coisas em novos contextos.

Usado junto ao pescoço, o peridoto é um bom mediador entre o coração e a razão. Ele nos ajuda, além disso, a conversar com voz calorosa e a encontrarmos palavras que exprimam, aproximadamente, a sabedoria do coração.

Se estivermos relacionados com o peridoto por meio de um anel, ele permite sempre que a alegria triunfe no nosso coração, e também nos impede de querer insistir com a razão na tragédia, na melancolia e naquilo que nos feriu.

ESMERALDA

Anjos de todo amor

As esmeraldas polidas facetadas nos levam à relação com os "anjos de todo amor" por meio do seu forte verde singular radiante. Eles nos ensinam a anular a separação entre "eu" e "você". Devido à individualidade de cada ser humano, existe um plano geral em luz — ou seja, uma camada do domínio espiritual — onde não existem diferenças. Em uma camada mais alta, não existe mais a limitação humana em relação ao restante do mundo criado. Lá somos todos "um só", cada criatura está relacionada com as outras na Luz. É a situação perfeita uniforme, depois de ansiarmos por tudo. Os anjos da esmeralda nos acompanham nesse caminho e nos permitem aproximarmo-nos das condições divinas perfeitas e de todo amorosas. Vivenciamos com isso, muito diretamente, que tudo que fazemos, sentimos e pensamos, tem sua conseqüência na criação geral e não fica, de jeito algum, limitado ao nosso próprio ser, o ser humano. Simpatia e autoconfiança crescem daí e de um amor por todos. "Ame teu próximo como a ti mesmo" — um dos dez mandamentos de Cristo — exprime o mesmo que um provérbio popular: "Não faça aos outros o que não quer que façam a você". Ambos indicam que tudo que fazemos, ou deixamos de fazer, tem um efeito sobre tudo o que foi criado e, com isso, também sobre o Criador.

Esmeralda oval

Um anjo superior luminoso verde-esmeralda, com aura em forma de ovo, vem até nós por intermédio da esmeralda polida oval, acompanhado por muitos anjos da mesma cor de irradiação que vêm através das facetas. Eles animam nosso corpo, fortalecem nosso coração, nos permitem sentir, especialmente, a beleza e a força da Natureza, avaliando-nos e nos proporcionando um sentimento de vida de muita intensidade. O verde maravilhoso desses anjos atua muito harmonicamente sobre todas as células do nosso corpo, ao mesmo tempo agindo de forma animadora. Os anjos sensibilizam também nosso sentido de beleza para com o nosso corpo, assim como para com todos os "encarnados" no mundo material — por exemplo, cada flor, árvore, pedra, animal, homem, criança... Eles nos permitem fixar bem o olhar e descobrir em tudo a beleza. Assim, influem também na nossa energia visual, que recebe estímulos agradáveis, tanto que nossos olhos se abrem para todos os aspectos da beleza — em vez de se recolherem com um olhar de fraqueza e de incapacidade, protegendo-nos daquilo que precisamente não queremos ver. Se pudermos aprender a ver a beleza, nossos olhos se abrirão e poderemos liquidar seus bloqueios.

Esmeralda octogonal

Com a esmeralda octogonal vêm até nós anjos que fazem crescer nosso amor pela profissão, lar e família, ao mesmo tempo em que nos ensinam a não sermos ostensivos em relação a isso. O anjo superior em maravilhoso verde-esmeralda abrange, com sua irradiação em forma octogonal, tudo o que já "possuímos". Juntamente com os anjos que aparecem sobre as facetas chega uma energia que nos facilita libertarmonos da dependência que traz consigo a posse. Isso não quer dizer que não devamos ter uma propriedade, mas, sim, que estamos atualmente na fonte de onde emana a riqueza tanto na Terra como no espírito — todo o amor de Deus — sem que nada aconteça. Da nossa existência terrestre, humana, não podemos fazer nada. Mas com a ajuda de Deus estamos relacionados com a corrente de energia universal do amor extensivo, para a qual não existem fronteiras se alguma coisa está direcionada no sentido da Criação. Por intermédio desses anjos da esmeralda, nós nos tornamos conscientes desses contextos, que nos preservam do acúmulo e do interesse sem sentido e nos permitem agir desinteressadamente em favor da Criação em geral.

Esmeralda redonda

Os anjos que estão relacionados com a esmeralda polida redonda nos trazem um pensamento completo. O anjo superior brilhante cor de esmeralda com aura em forma de círculo, atinge (com o auxílio de todos os anjos das facetas que o protegem) nosso pensamento eu-encantado. Ele deixa nosso corpo espiritual, que traz em si todas as nossas idéias e padrões de pensamento, deslizando com o verde-esmeralda claro luminoso. Por seu intermédio os nossos pensamentos recebem "impulsos" para se ocupar com o amor por tudo e desenvolver novas concepções e novos padrões de pensamento, que se voltam mais e mais para a universalidade.

Isso não quer dizer que nós devemos desprezar nossas individualidades e particularidades ou até mesmo abandoná-las. Aprendemos com esses anjos somente a polarização disso tudo — mesmo que todos formemos uma unidade, mesmo que sejamos um só com todos. Ao mesmo tempo, aprendemos a conhecer os dois: ser indivíduo, ou seja, limitado e único; e ser extensivo. Descobrimos em nós leis espirituais de regulação, que nos ajudam a viver integrados às existências humana e divina. Ambas estão em nós e querem tornar-se conscientes no nosso desenvolvimento.

Esmeralda em forma de gota

Se a esmeralda luminosa elucidativa for polida em forma de gota, contataremos com os anjos que nos revelam a beleza da alma. O anjo superior, com a aura em forma de uma gota muito grande, toca o nosso corpo com o seu mundo sentimental intacto, com todas as suas qualidades, para sentirmos amor por todas as facetas da existência. Os muitos anjos verde-esmeralda que aparecem por intermédio das facetas isoladas referem-se às muitas camadas e à riqueza da alma. Eles abrem nossa porta da alma e nos mostram todos os sentimentos feridos em proteção de todo amor, todos os sentimentos reprimidos — cada aperto, exagero, ou manifestação do inconsciente que ainda está no escuro.

Recebemos idéias para os domínios que são libertados com amor e querem florescer em beleza. Tudo que nos faz sentir culpa e perturba ainda hoje, e que no fundo sofre nossa negação e repressão, quer chamar nossa atenção e nos mostrar o que se encontra por detrás disso. O amor compreensivo cobre nossa alma com a ajuda do anjo da esmeralda em forma de gota, e nos permite contatar com a insuficiência humana. Essa insuficiência se transforma em beleza quando não nos defendemos contra ela, mas, sim, desenvolvemos em nós a disposição para reconhecê-la como provocação da nossa alma. A beleza que está ocultada em todo amor quer tornar-nos conscientes de todos os planos da nossa existência. O processo de conscientização é o mais intensivo, quando devemos mudar alguma coisa fundamental — seja no processo com nossos sentimentos, nosso corpo, ou nossos pensamentos. Os anjos da esmeralda acompanham essa transformação com todo amor.

A esmeralda atua especialmente sobre nós quando a trazemos junto ao coração, o lugar do amor. Ela fortalece as nossas funções cardíacas, consolida o laço afetivo entre duas pessoas, nos dá de presente uma clareza no mundo sentimental.

Usada como anel, a esmeralda dá expressão a uma relação de amor incondicional, que se aproxima de toda a consciência. A amizade e o amor ideal estão relacionados com isso.

Se usarmos a esmeralda junto ao pescoço, ela nos protegerá da ostentação demasiada do "ego" e direcionará nossa ansiedade e ambição para o crescimento, amor, beleza e humildade divina.

TURMALINA

O anjo da saída

Por intermédio das turmalinas polidas facetadas, os anjos de essência vêm especialmente até nós. Correspondendo às várias cores que se encontram nas turmalinas, assim como nas freqüentes uniões de duas cores, os anjos também são de duas ou mais cores, aparecendo em todas as cores do espectro. A turmalina pode apresentar-se em cores que são somente imagináveis — de quase sem cor, através do espectro colorido, até o preto carregado. As uniões das cores são de significação especial, pois elas ligam dois planos de energia diferentes, abrem portas, criam passagens. Mais claramente nos chegam as mensagens das turmalinas verde-rosa, do que das azul-claras escuras, bem como das verdes e rosa.

Os anjos das turmalinas são os "anjos da saída". Eles têm a tarefa de nos permitir encontrar saídas que nos conduzam para fora de uma restrição, uma paralisação, um beco sem saída, garantindo-nos um outro passo à frente. Conforme a cor que as pedras trazem e a forma como são polidas, assim é o campo de realização dos anjos na área da pedra correspondente, na forma e na cor que elas apresentam — unidos, contudo, aos anjos que se interessam especialmente pelo nosso progresso, para o qual nos mostram as saídas das dificuldades. As turmalinas estão especialmente descritas nas pedras azuis.

Turmalina verde

Com as turmalinas verdes polidas facetadas vêm até nós os anjos que nos ensinam uma intimidade segura nas relações com os seres humanos. Elas nos permitem encontrar um acesso afetuoso até os outros, e nos dão a força da perseverança e da esperança, quando se trata de conquistar o "coração" de um outro alguém, de construir uma amizade, uma relação amorosa, uma sociedade. Sempre nos mostram um caminho que possibilita uma preparação, um encontro.

Turmalina verde oval

Por meio das turmalinas verdes polidas ovais nos relacionamos com os anjos que reúnem especialmente a sabedoria do coração e o amor, assim como a força vital e a salvação, para deixarmos nascer um relacionamento amoroso, uma relação conjugal. No encontro de dois seres humanos, que descobrem um ao outro, existe sempre algo "que alegra o coração". O anjo superior de uma turmalina verde irradia a luz suave da pedra. Sua aura é oval, e ele está rodeado por muitos anjos das facetas que brilham num mesmo tom verde. Os anjos cuidam, com todas as energias que estão à sua disposição, para que dois seres humanos enamorados encontrem sempre uma saída quando sofrem, em suas relações, dificuldades que se apresentam no plano físico. Isso pode manifestar-se em doenças súbitas do corpo manifestadas de diferentes maneiras, em bloqueios sentimentais regulares, tais como frieza sentimental, tristeza, renúncia aos companheiros. Os anjos os ajudam a se entenderem e a se respeitarem mais reciprocamente.

Turmalina verde octogonal

Os anjos das turmalinas verdes polidas octogonalmente nos dão uma energia refrescante para dominarmos com alegria nosso dia-a-dia. Eles nos unem, além disso, com pessoas, com as quais uma relação comercial amigável, um relacionamento profissional ou uma transação útil pode ser encetada.

O anjo superior traz, juntamente com os anjos que estão à disposição por meio das facetas, um brio agradável que entra através da forma manifestadora da aura octogonal do anjo superior em todas as relações no plano material. Esses anjos atuam promovendo uma renovação com seu brio. Novos impulsos ativam também uma relação, a orientação para uma profissão, uma casa, apartamento, vizinhança etc.

Turmalina verde redonda

Através das turmalinas verdes redondas polidas facetadas, os anjos que nos satisfazem com idéias e pensamentos animadores nos alcançam. O anjo superior, que aparece com aura verde em forma de círculo — seguido por um exército de anjos que apresentam o mesmo verde através das facetas —, cuida dos pensamentos da unidade. Esses anjos nos ajudam a encontrar saídas quando nossos pensamentos se afastam e nos fatigam, quando estamos sem alegria e esperança. Eles nos ensinam a nos abrirmos para a sabedoria da vida, a atingir a alegria do momento e a nos deleitarmos com isso. A simplicidade em tudo nos permite descobrir a variedade: por um lado, uma descarga do nosso mundo do pensamento sempre investigador e examinador; por outro, um estímulo das nossas imaginações, com as quais podemos descobrir o mundo, o ambiente, de novas maneiras. Os anjos nos mostram assim saídas da graduação, da indiferença, do vazio interno.

Turmalina verde em forma de gota

Com essas turmalinas nos satisfazem os anjos que atuam especialmente na nossa alma e que ativam o corpo da alma. Como grande gota em verde suave, um anjo superior vem até nós, relacionado com os muitos anjos que aparecem através das facetas das pedras. A paz agradável e, também, uma consciência animadora hospedam-se no nosso mundo sentimental. Pretextos, mecanismos de fuga internos são iniciados com esses anjos. Eles chamam nossa atenção para que não possamos fugir de nós mesmos, e nos ensinam a fazer as pazes conosco — parte por parte, até que reconheçamos que isso nos conduz para fora do estreitamento, assim como da falta de autoconfiança e do autovalor sentimental.

Turmalina verde-rosa

Através das turmalinas verde-rosa polidas facetadas nos relacionamos com os anjos que se interessam pelo nosso equilíbrio emocional. Eles cuidam de equilibrar nossa vida sentimental e estabelecer uma relação entre o amor recebido como objeto — sentimentos de amor por todas as criaturas e por toda a Criação, por todos os encarnados na Terra, tais como animais, plantas, os homens; as pedras, água, fogo, terra, vento —, e o amor desinteressado por tudo que existe.

O amor recebido como objeto está limitado a tudo que é visível no mundo material e irradia no verde. Cada visibilidade material tem ainda uma correspondência na invisibilidade do domínio espiritual; traz consigo todas as características da encarnação material. Esse mundo

71

espiritual invisível irradia para os nossos olhos orientados "para fora" por intermédio do rosa. A turmalina verde-rosa nos permite reconhecer a solidariedade do mundo visível para com o invisível, e, nos mostra, através do amor, um caminho. Com esse amor, podemos penetrar, atingir e alcançar o material e o espiritual. Além disso, recebemos, de modo fácil, indicações de saídas que nos conduzem aos padrões sentimentais que se apresentam justamente no caminho espiritual. Geralmente pensamos que, quando amamos o material, não podemos amar o espiritual, e vice-versa. Os anjos das turmalinas verde-rosa nos ensinam a simultaneidade e a interpenetração dos dois "mundos" —, o material, fisicamente visível, existe energeticamente também no plano espiritual. O amor e a direção para um domínio fluem também para o outro domínio, do mesmo modo que a negação. Se sentimos o amor no mundo material, o plano espiritual também fica satisfeito com esse sentimento.

Turmalina verde-rosa oval

O anjo superior de uma turmalina verde-rosa oval polida em facetas irradia no verde e rosa, com aura em forma de ovo. Os anjos que nos chegam através das facetas vêm conforme as cores delas: em irradiação verde ou rosa do âmbito das cores verde e rosa. Aqueles anjos que trazem consigo tanto os tons verdes como os rosa têm de realizar a tarefa especial da unificação da nossa capacidade de amar. Eles são protegidos em seus atos por anjos "especializados" em verde e rosa, respectivamente; esses anjos vêm até nós para ensinar-nos a vencer dificuldades no amor para com a matéria e, ainda, os bloqueios no domínio espiritual do amor.

Os anjos da turmalina verde-rosa oval são especialmente competentes quanto ao nosso bem-estar e à sensibilidade para o nosso corpo. Eles nos mostram saídas de um ser interno obstinado, com o qual nos dispomos a renunciar ao amor físico; além disso, ativam nossa capacidade de dedicação no plano espiritual. Dessa forma nos dão o impulso da alma para tratarmos com completa suavidade das necessidades do nosso corpo.

Turmalina verde-rosa octogonal

Os anjos que vêm até nós através das turmalinas polidas facetadas octogonais em tons verde-rosa são solicitados para ajudar no relacionamento do nosso ser preso junto à família, à casa, à profissão etc. por meio da inclusão do amor desinteressado. Eles nos desligam, assim, dos interesses unilaterais materialmente orientados dos planos e dos objetivos. Os anjos nos mostram as saídas da dependência que resulta das nossas prisões.

Se nossa força realizadora é, por um lado, orientada pelo mundo espiritual, eles abrem nosso coração para a beleza e o amor divinos que vêm ao mundo material para expressão e se manifestam também diretamente na nossa intimidade direta, nos nossos atos diários, em todas as nossas relações. Esses anjos nos ensinam a tratar de nossas propriedades com amor desinteressado, sob a força moldadora do anjo superior — sem incorrer em desdém pelo mundo material.

Turmalina verde-rosa redonda

Turmalinas verde-rosa — como todas as turmalinas de duas ou mais cores — raramente são polidas facetadas em forma redonda, pois a pedra, no polimento facetado, leva muito facilmente às transições da cor.

O anjo superior da turmalina verde-rosa polida redondamente aparece com aura em forma de bola, acompanhado por todos os anjos verdes, rosa, assim como verde-rosa brilhante, que aparecem por meio das facetas. Todos esses anjos cuidam de um direcionamento do pensamento uniforme referente ao amor. Eles nos facilitam a emissão de idéias para o mundo dos seres espirituais, ao mesmo tempo em que nos ensinam como emitir pensamentos afetuosos para esses seres. Mesmo que não possamos vê-los, senti-los ou ouvi-los, os seres espirituais estão aqui e reagem à nossa intenção afetuosa com entusiasmos elucidativos, atingindo-nos com sua irradiação transparente, clara, suave. Os anjos dessa turmalina nos permitem voltarmos sempre nossos pensamentos para os seres espirituais. Na verdade, ao mesmo tempo, eles nos permitem pensar sempre, quando vemos uma criatura na Terra — um homem, animal, planta, pedra... —, em sua essência e na dos seres espirituais, que rodeiam isso tudo. Assim são instruídos nossos sentidos e orientações mentais, por meio de uma orientação afetuosa em direção à Criação a fim de recebermos o mundo espiritual. Isto nos conduz a fim de que consideremos e respeitemos os seres espirituais com atenção. Eles se sentem atraídos por esse procedimento e se dão mais e mais para que possamos reconhecê-los — seja ouvindo-os sussurrar em nós, vendo seus corpos brilhantes passarem como um sopro, seja sentindo como que um contato físico tal qual uma flor junto à nossa perna ou ombros.

Os anjos que se juntam na turmalina verde-rosa redonda nos mostram, através dessa condução do nosso pensar, saídas dos nossos padrões de pensamento parcialmente alinhados que estreitam nossa imagem do mundo. Eles nos permitem descobrir que os seres espirituais precisam dos seres terrestres encarnados, com a densidade da vibração da Terra, para poderem ser úteis aqui neste planeta. Com esses atos os seres espirituais podem passar pelos processos de crescimento, e amadurecer com o aperfeiçoamento da sua essência visando à preparação na sua próxima camada de desenvolvimento.

Turmalina verde-rosa em forma de gota

Também a turmalina verde-rosa em forma de gota é polida muito raramente em facetas, por causa da alta fragilidade na transição da cor. Com a turmalina verde-rosa em forma de gota polida facetada vêm até nós os anjos que protegem do amor futuro nossos pensamentos do coração, e nos preparam uma passagem para o amor desinteressado, com a disposição da dedicação necessária. O anjo superior, com aura verde-rosa emanando luz em forma de uma gota, toca a nossa alma e leva o nosso amor ao relaxamento pela vibração — auxiliado por todos os anjos que o acompanham através das facetas. Eles nos conduzem para fora da dificuldade do coração, mostrando-nos, por intermédio das vigorosas estruturas sentimentais, as saídas dos sentimentos dolorosos, "despedaçadores de corações". Eles nos permitem chegar à energia da suavidade da Natureza. Cada sentimento interno provoca uma mudança do campo de energia espiritual no mundo espiritual. Quando aprendemos, novamente, a deixar atuar sobre nós a Natureza e sua energia natural, sentimos interiormente um grande respeito e amor que aumenta o nosso "coração" e nos permite ser um só com a fonte de vida que transborda. A nossa alma se eleva à gratidão e ao sentimento de sorte, e desliga-os com o tempo dos padrões sentimentais carmáticos, "fatais", apáticos, achatados. Um direcionamento constante para a Natureza nos conduz ao reconhecimento e ao saber da grande energia natural, da sua força já se regenerando, se renovando. Isso atua agradavelmente na nossa mente. Com isso, chegamos à fonte de energia interna dentro de nós e da Natureza — estamos ambos relacionados com a mesma fonte, a luz da vida, a corrente da vida universal, o amor divino. Os anjos em forma de gota da turmalina verde-rosa nos ensinam a despertar, por meio do amor e do direcionamento para a força elementar da Natureza, um potencial do amor em nosso coração, que pode transformar-se em desprezo e desinteresse na nossa avaliação perante a força de Deus. Muitos anjos vêm ao nosso encontro nesse caminho que nos conduz para fora do mau humor, do autodesprezo, da inveja e da cobiça, em direção ao amor aumentado que dá plenitude à vida.

Turmalina rosa

As turmalinas de cor rosa que estão polidas em facetas nos unem a anjos que nos ensinam, principalmente, a servir. Eles despertam em nós o sentimento de realização que entra com a capacidade de abnegação do amor desinteressado. Com esta realização no pensamento, sentimento e atos desinteressados, eles nos abrem saídas do amor material parcialmente orientado. Eles conduzem nosso sentimento de vida, que, em primeiro lugar, está relacionado com o materialmente visível — como, por exemplo, outros homens, animais, plantas, pedras, a Natureza enfim... —, com o supérfluo. Ao "mundo interno" espiritual, ao domínio da crença da alma, à sua ansiedade mais íntima e ambição de elevação, ao aumento e à transfiguração.

Turmalina rosa oval

Os anjos que vêm através da turmalina rosa oval polida facetada cobrem nossa aura de rosa suave. O anjo superior aparece em forma oval e é acompanhado por muitos anjos que pertencem às facetas da pedra. Todos cuidam para que aprendamos a descobrir nosso corpo com suavidade. Por esse procedimento, eles nos tiram do desespero profundo com relação às reações doentias do nosso corpo e nos permitem reconhecer os contextos para a manifestação psicossomática. Especialmente as reações alérgicas — a hipersensibilidade da pele e irritações —, nos mostram as atividades de defesa, os mecanismos de proteção, as necessidades de ternura e amor insatisfeitas no plano sentimental que se comunicam por intermédio do corpo — aqui, especialmente através da pele. Os anjos da turmalina rosa nos trazem uma força libertadora que nos lembra e nos instiga sempre a cedermos aos nossos sentimentos de amor mais intrínsecos e a mantermos relações de suavidade conosco, assim como com os que nos cercam — companheiros, crianças... —, a fim de comunicar que também ansiamos pelo amor afável, desinteressado, ou seja, não-exigente. Conhecemos com isso uma nova dimensão do amor, mas, também, o estímulo afetuoso dos sinais do nosso corpo, e comunicamos aos outros o que nosso corpo e nossa alma necessitam.

Turmalina rosa octogonal

As turmalinas rosa polidas octogonais fortalecem nosso amor pelo dia-a-dia. O anjo superior de uma turmalina polida octogonal vem, com sua aura fortemente formada em rosa suave, acompanhado por um exército de anjos ajudantes, que chegam através das facetas. Esses anjos despertam em nós a necessidade de uma relação afetuosa, desinteressada, com o que nos cerca — o que precisamos para a existência aqui na Terra. Assim, encontramos no nosso coração e no nosso peito uma extensão, um sentimento de amplitude quando presenteamos nossa casa, família, profissão, jardim, carro... com uma atenção afetuosa. E, dessa forma, não vemos nada como indiscutível, mas, sim, desenvolvemos uma gratidão consciente que exprime sempre algo novo — o amor divino e a atividade do ser de luz se manifestam também deste modo do mundo espiritual. Aprendemos, assim, a reconhecer e a honrar em todos a interação divina. Chegamos, com isso, a uma saída do tédio, do excesso, da ambição de poder, do aborrecimento, da insatisfação etc.

Turmalina rosa redonda

O anjo superior que vem até nós por intermédio de uma turmalina rosa redonda polida facetada, juntamente com todos os seus anjos das facetas, satisfaz especialmente nosso corpo espiritual, com sua aura rosa brilhante em forma de círculo. Todos esses anjos satisfazem nossos pensamentos e idéias com transparência, tanto que nos conscientizam dos contextos internos existentes entre as nossas energias de pensamento e as vibrações espirituais. Eles vêm ao nosso pensamento, com simpatia, amor e cuidado, para impedir que produzamos no plano mental energias potenciais que nos carreguem — correspondendo à lei da ação e reação. Porque cada pensamento em nós já gera, no plano espiritual, vibrações que, com a freqüência crescente e intensidade do mesmo pensamento, se tornam mais densas, carregadas com energia. Isso acontece até que as vibrações, definitivamente materializadas, se tornem eficazes no mundo material — a não ser que pensamentos contrários perturbem, descarreguem, enfraqueçam o campo de energia. Se nutrirmos pensamentos "positivos", a onipotência do amor se manifestará; é significativo manter sempre esses pensamentos. Se encontrarmos em nós pensamentos "negativos", nós mesmos (com outros pensamentos agravantes) podemos ser prejudicados, assim como os potenciais de energia que, na maioria das vezes, nos "prejudicam", pois também sua expressão de energia atua sobre nós. Aqui é significativo construir um campo de energia que resulta sempre mais denso por meio de repetições propositais, conscientes, ou mesmo inconscientemente controladas, do pensamento positivo. Aqui os anjos nos ensinam a reconhecer como somos insensíveis tanto no trato conosco, como também com a Criação em si. Eles nos ajudam a enfraquecer essas energias de pensamentos agravantes, ao mesmo tempo em que nos dão, para cada pensamento "negativo", um pensamento "positivo", desligador. Eles nos mostram as saídas dos pensamentos agravantes e impedem, com isso, a criação das perturbações agravantes que gozam bem a vida no domínio físico, sentimental e mental, mas também podem conduzir a novo carma agravante para a Criação. No nosso corpo espiritual, tudo "aponta" energeticamente para as leis de causa e efeito, e está à disposição para uma outra vida como informação e energia. Se nos enfraquecemos, depois do abandono da nossa alma durante a passagem para o outro "lado", com energias agravantes — construídas por meio do pensamento e do sentimento com relação às ações na vida terrestre —, isto deve ser equilibrado em uma encarnação futura. Os anjos da turmalina rosa redonda preservam nosso pensamento de novas energias agravantes e ajudam, ao mesmo tempo, a enfraquecer as cargas de carmas no corpo espiritual — cargas essas que nos provocam sempre pensamentos "negativos". Eles nos dirigem para uma atitude positiva, afetuosa.

Turmalina rosa em forma de gota

Com a turmalina rosa polida em forma de gota vem até nós um anjo superior em suave luz rosa, emanando vigorosamente luz rosa da sua aura de gota até nós. Com a forma da sua aura, ele toca principalmente nosso corpo da alma, o mesmo fazendo todos os anjos que o acompanham através das facetas da pedra. Eles cuidam para que nos conscientizemos das nossas muitas lágrimas não choradas e abrem uma porta no nosso mundo sentimental que, simplesmente, não podemos mais fechar por nossa vontade, sentimentos, "existência forte". Eles nos ajudam, com isso, a sair da atitude de repressão, com a qual poderíamos conter por certo tempo — muitas vezes, por anos e décadas — as lágrimas sem derramá-las. Mesmo quando essa repressão das lágrimas dá um bom resultado, isso não quer dizer que elas desapareceram. Devemos empregar mais, diariamente, a força da energia potencial que está à disposição da nossa mente para não deixarmos essas lágrimas aumentarem e não vermos a tristeza e a dor que elas provocaram — não devemos sentir nem pensar nisso. Então, a relação com essas lágrimas está novamente aí, através da porta que foi aberta pelos anjos e é deixada aberta. Provavelmente esse mar de lágrimas não derramadas começará a deslizar para fora de nós. Devemos chorá-las, pois, nesse rio de lágrimas, fronteiras internas e bloqueios de beleza são arrastados e trazidos para fora. O rosa do anjo da turmalina acompanha e tinge esse rio de lágrimas, tanto que o amor compreensivo, perdoável e uma suavidade agradável aparecem; ocorrem o descarrego, o alívio e a libertação. A energia unida anteriormente à retenção das lágrimas está desatada do choro e nos coloca à disposição coisas novas. Podemos prosseguir a fim de viver essa retirada "da essência" da segurança das lágrimas. Então, essa energia liberta é novamente ligada no modo de costume — mesmo na repreensão das lágrimas e das dores da alma unidas a esse procedimento.

Podemos também aprender a encontrar essas dores de outra maneira, a explorar em nós a dureza, a permitir a suavidade, para que as lágrimas deixem seu curso e para "trabalhar" junto a uma mudança de nossa atitude ou da estrutura da nossa alma, a fim de tratar o doloroso de outra forma.

Aqui nos sobrevêm, então, os outros anjos que receberam esta tarefa. Estes são os anjos da kunzita, que nos encontram logo adiante. Enquanto os anjos da turmalina rosa nos possibilitam deixar correr as lágrimas, os anjos da kunzita nos ajudam a transformar o aspecto afetuoso da alma e o correspondente padrão sentimental, com o auxílio da energia cósmica.

Se usarmos as turmalinas polidas facetadas junto ao pescoço, de modo que fiquem penduradas na altura do peito, elas atuam especialmente sobre a nossa sensibilidade na escolha da palavra, assim como na energia de expressão da linguagem. Elas nos dão uma sensibilidade segúra para o quando, como e o que devemos dizer, tanto que isso pode ser melhor aceito pelos outros.

As turmalinas junto ao coração libertam nosso mundo sentimental dos complexos de culpa e, ao mesmo tempo, nos deixam vivenciar um amor integrado que sabe das forças ocultas do mundo espiritual.

Com um anel de turmalina estamos sempre prontos para uma saída; encontramos sempre — mesmo quando, muitas vezes, isso ocorre no último momento — uma possibilidade real que nos conduz para fora de uma situação que necessita de ajuda em uma decisão grave.

KUNZITA

O anjo da purificação salvadora

A kunzita foi descoberta como tal em 1903, e foi nomeada segundo seu descobridor, o dr. Kunz, um gemólogo suíço. Antes dessa época ela era confundida com outras pedras preciosas. Tem importante significado o fato de que ela foi descoberta no início da passagem da era do homem de Peixes para o homem de Aquário. Em sua cor rosa violeta ela traz o rosa do chacra cardíaco, a cor do amor desinteressado e da capacidade de abnegação, do amor de Cristo em si, que é expressão da era de Peixes. Mas ao rosa é acrescido ainda o violeta, a cor espiritual, mental, que nos ensina, e aos outros também, como descobrir e empregar nossa "antena" delgada, nossos canais de percepção espirituais, empregando-os para aprender. Assim, esconde-se na kunzita uma força que nos ensina a unir aquilo há muito conhecido — o íntimo, o tradicional — mais especialmente com o amor do coração desinteressado e todo compreensivo com relação ao novo, principalmente com a comunicação no material — ou seja, o plano espiritual, aquele que corresponde à energia da era do homem de Aquário.

O crescimento fibroso da pedra, dirigido há muito tempo, salienta, ainda, a retilineidade e, também, a canalização como padrão de causa energética. A kunzita nos dá com isso, também, uma consagração com a iluminação no caminho. Nossa relação consciente para cima, o reconhecimento e a sensibilização da nossa energia espiritual, a emissão consciente e o recebimento das forças (por exemplo, na terapia e na cura a distância) superam as manifestações isoladas do violeta (nossa consciência em Cristo) e do rosa. A isso atribuímos a transformação do nosso sofrimento. Por meio do desenvolvimento da capacidade de aceitarmos e amarmos a nós mesmos, aprendemos a manifestar mais e mais a virtude de Deus em nós, como homens aqui na Terra, a nos tornarmos vivos e amarmos a todos — livres de valorizações e condenações individuais. Com isso, desaparecem nossos sofrimentos, que se desligam de nós e são transformados na luz do amor todo compreensivo. Não mais dissipamos nossa energia a favor ou contra alguém ou alguma coisa (seja em nós mesmos ou nos outros), mas sofremos com o abandono das nossas próprias manifestações — um conhecimento para os grandiosos contextos cósmicos, que atuam com completa sabedoria no Universo em geral. Aquilo que nos parecia, antes, completamente triste e doloroso, vemos agora sob uma nova luz. Chegamos ao conhecimento de que nossa luta, contra ou a favor de alguma coisa, une a força secreta do processo de cura. Isso resulta do próprio conceito de que podemos admitir, crescentemente, a repressão na confiança divina de pleno abandono; assim, sentimo-nos conduzidos, e estamos em condições de indicar nossa própria vontade egocêntrica a favor de nossa conduta interna divina. Uma transmutação, isto é, uma transformação se realiza na nossa consciência da alma, assim como na nossa execução mental, agindo até à energia densa do nosso corpo harmonicamente carnal e, com isso, curando-o. Nossos sofrimentos, nossas dores — sejam eles no plano espiritual e/ou anímico, físico — são salvos e transformados por intermédio da energia de Cristo em nós. Cristo, que nos tem como filhos de Deus e filhos dos homens antecessores, que reconheceu e admitiu o amor incondicional, desinteressado, em pleno abandono. O "seja feita a Sua vontade", reconhecido justamente em momentos aflitivos, conduz a luz da vida à perfeição, promove a união com Deus: é alcançado o objetivo e a salvação. Alguns, por meio do egoísmo, sentem-se desligados, e os sofrimentos são estampados; mas nascem direcionados para a consciência total — a situação onde tudo é conscientizado, sem que nos condenemos ou avaliemos.

Os anjos da kunzita polida facetada são "os anjos da união salvadora". Por causa de seu longo crescimento em fios, é quase impossível poli-la redondamente, sendo que a forma de gota também é rara. Predominantes são as polidas em forma oval e em ângulos.

Kunzita oval

O anjo superior que vem até nós por intermédio da kunzita oval polida em facetas apresenta uma aura em forma oval, do rosa claro com violeta suave até o rosa violeta profundo, correspondendo à cor da pedra. Ele nos ajuda, com o auxílio de todos os anjos que vêm através das facetas, a desprender os sofrimentos e as dores físicas. De um lado, por intermédio da graça divina que atua por meio deles; por outro, através de uma união mística, uma experiência com Deus, com a qual eles nos apresentam o sentido da nossa fraqueza física. Com isso, uma energia de confiança em Deus entra em nossa vida e nos permite encontrar uma outra atitude para nossa doença. Podemos tratar com plena compreensão e conhecimento da nossa saúde reconhecendo qual o "aproveitamento" que tiramos disso e fazendo perguntas honestas a nós mesmos:

"Eu quero alcançar isto através deste caminho?" - "Eu preciso disto?"; "Para quê?" — por exemplo, para receber mais atenção, doação, consideração ou, até mesmo, estima; ou como eu vivo de forma grandiosa, heróica etc. por causa de uma súbita doença difícil. É bom saber o que, apesar de tudo, posso realizar. Os anjos nos ajudam a sermos suaves e afetuosos conosco — sem nos afundarmos na autopiedade. Uma nova energia liberada pelos velhos padrões do mundo sentimental carrega nosso corpo, assim como nosso espírito, tanto que nossa atitude para com a doença e para com o nosso organismo também é transformada.

Kunzita octogonal

Com a kunzita polida octogonal chegam até nós os anjos de manifestação ativa. O anjo superior, cuja aura indica novamente a forma e a cor da pedra, assim como todos os anjos que a ela pertencem através das facetas, tem a tarefa de nos satisfazer com as energias que voltam "o espiritual", "o superior", à nossa ambição de auto-realização. A "bem-aventurança" interna, o êxtase, a experiência de união mística nos são dadas para ativar em nós a força e a resistência, para nos elevar acima do plano terrestre com suas limitações. Isso não quer dizer que o mundo material, terrestre, nos seja indiferente; nada tem mostrado que o rejeitemos. Vivenciamos muito mais por meio das expressões internas, de que existe ainda alguma coisa diferente do mundo material e de que podemos aprender a colocar dentro de nós os potenciais para produzir e manter uma relação consciente constante com este mundo espiritual. As forças espirituais da luz e do amor atuam em nós e por nosso intermédio quando permitimos, preparando-nos e acompanhando o processo. Assim, o amor divino pode atuar junto a nós mesmos, mas também, através de nós, em nossa intimidade. Quando aprendemos a nos colocar à disposição como canal para a energia espiritual, divina, amadurecemos em nossa capacidade de abnegação e no dar e receber o amor incondicional, desinteressado. Com isso, distinguimos entre as necessidades e os medos existenciais, o que nos ajuda a tornar visível a energia de Deus na Terra.

Kunzita em forma de gota

Os anjos que vêm até nós através da kunzita polida em forma de gota são satisfeitos pelo amor divino e sabedoria, com os quais tocam nossa alma e nossos sentimentos feridos e contribuem para uma elevação da alma. O anjo superior aparece com aura maravilhosamente violeta brilhante, cintilante, em forma de uma grande gota — acompanhado por todos os anjos que pertencem às pedras através das suas facetas. Eles têm a tarefa de libertar nossa alma dos processos de purificação, e a protegem em sua transformação consciente. A paz entra nos sentimentos e nas expressões da alma, que se obtêm por intermédio do "ser" daqui e do "ser" de lá, e nos torna incapazes de agir por meio de irresolução, compaixão e autocompaixão.

Esses anjos presenteiam nossa alma, ao mesmo tempo, com o sentimento de proteção e salvação, por meio de uma afetuosa relação com a "auto-elevação" da parte divina do nosso ser — assim também a bem-aventurança resulta da transformação das energias masculina e feminina em nós, elevadas que são a um nível de energia livre voltada para Deus.

Isso resgata em nós os sentimentos de liberdade, independência e bem-aventurança que conduzem a um silêncio próprio no estar salvo por Deus.

Nesse processo são enormemente ativadas e sensibilizadas nossas "antenas delicadas de recepção", o que, por outro lado, manifesta sua grandiosa conseqüência no nosso "canal existencial". Desde a primeira experiência de êxtase cósmico somos motivados cada vez mais para o alto para atingir esta situação e procurar caminhos, processos, mestres e gurus a fim de manter, outra vez, uma relação consciente com essa energia divina. Com isso, os anjos da kunzita em forma de gota nos protegem: nossa manifestação espiritual recebe então um gigantesco empurrão.

As kunzitas facetadas que trazemos junto ao pescoço dão, ao mesmo tempo, força e inspirações ao nosso poder de expressão da linguagem, para conversarmos através de processos energéticos espirituais e, especialmente, por meio da relação com a energia cósmica livre. Comunicam-se os homens por intermédio das palavras, e comunicam-se uns com os outros também através de conversas "exteriores" sobre os processos internos; confidenciam-se e dividem impressões mutuamente.

Se usarmos a kunzita junto ao nosso coração, o domínio espiritual do nosso chacra cardíaco será especialmente tocado, reagindo principalmente à cor rosa. O violeta, que entra no rosa por meio da kunzita, faz nosso coração espiritual palpitar mais forte. As energias são conduzidas para o sétimo centro de energia, o chacra coronário, e com isso o amor desinteressado é levado às nossas maiores antenas e canais de recepção espirituais. Isso atua atraindo especialmente as energias correspondentes ao Universo em geral. Essas energias aguardam conosco pela união extática. A kunzita junto ao nosso coração fortalece enormemente a vibração dos sentimentos dos anjos que chegam com ela.

Usada como anel, a kunzita nos dá forma e estabilidade de tendência para a união mística. Assim, ela protege nossa pretensão de participar conscientemente de um êxtase cósmico. Ela pode também conduzir-nos a uma união constante e afetuosa com o professor ou o mestre — seja aqui na Terra ou do outro lado do domínio — ou, ainda, guiar-nos a uma "técnica" correta, com a qual possamos concretizar uniões energéticas (por exemplo, um treino de alfa, yoga, meditação ou oração).

ÁGUA-MARINHA

Os anjos do bálsamo para a alma

Por intermédio das águas-marinhas polidas facetadas vêm os anjos em azul brilhante, que passam de azul-claro suave a azul-claro brilhante intenso — conforme as cores da pedra. Existem anjos que nos levam à união com distâncias infinitas entre o Céu e as profundezas misteriosas do mar, ou seja, com a nossa alma. Os anjos da água-marinha trazem, por assim dizer, "o bálsamo para a alma": dão consolo e atuam tranqüilizando os nossos nervos. A paz e uma alegria pura, tranqüila, além de serenidade, entram em nós. Eles promovem em nós o "desejo", a fim de que possamos ser um canal de cura do amor divino quando nosso desenvolvimento anímico estiver pronto para isso. Quanto mais intenso for o azul da água-marinha, mais profunda é a sua reação.

Água-marinha oval

O anjo superior da água-marinha polida em facetas na forma oval está no azul brilhante, elucidativo, da pedra com a aura em forma de ovo. Juntamente com os anjos que chegam através das facetas, ele se preocupa em tranqüilizar nosso corpo e atravessá-lo com o azul divino salutar, que traz especialmente a paz para as células do organismo desarmonicamente agitadas e, com isso, doentes. Gera, assim, uma vibração curadora.

Água-marinha octogonal

Os anjos da água-marinha polida octogonal trazem para nossos assuntos materiais, nossa vida familiar, bem como para nossa existência profissional, uma tranqüilidade segura e a delicadeza, livres de lutas de concorrência e das agressivas feições do ser. Com o azul luminoso do anjo superior, em sua aura octogonal estampada, bem como com o auxílio de seus anjos ajudantes que aparecem através das facetas, o nosso mundo inteiro visível e manifestado na Terra chega a uma suavidade segura, que então reflete correspondentemente, também sobre nós mesmos. Nossos atos são manifestados por aquilo que sabemos internamente: existe um mundo espiritual e um ser espiritual, e nos conscientizamos da nossa alma imortal, que já se eleva, inspirada pelo espírito de Deus, nosso Criador. Esses anjos nos ajudam também, especialmente, a nos tornarmos livres de graves estruturas existentes em nós, e trazem com isso um modo de pensar liberal e uma maneira de ação apeladora da Criação, unindo-se para todas as decisões, para as nossas repressões e atuações.

Água-marinha redonda

Com a água-marinha redonda chegam até nós os anjos que inspiram nosso mundo de pensamentos, libertando-os de velhos padrões e formando acessivelmente novas idéias. O anjo superior, em azul luminoso e com aura em forma de bola, é acompanhado pelos numerosos anjos que chegam através das facetas. Com seu azul luminoso, eles deslizam especialmente em direção aos nossos potenciais espirituais, estruturas e bloqueios até à vibração mais densa do pensamento. Eles nos ajudam, com toda sua suavidade, a chegarmos mentalmente ao silêncio, para nos desprendermos dos pensamentos obstrutivos, bloqueadores, e dar mais espaço às novas expressões. Eles libertam da prisão, para muitos já repletas, pensamentos e permitem ao nosso mundo cósmico tornar-se aberto e amplo. Por causa disso, não devemos mais alterar-nos com muitos — devemos conter-nos, não lutando ou brigando por qualquer coisa. Em vez disso, empregamos silêncio e calma. A energia que estava unida anteriormente ao potencial do medo está livre para um ouvir interno depois da vigília. O "ouvir" crescente da voz de Deus e o poder de confiança em si, juntamente com suas ordens e mensagens — a percepção e a positividade da vontade divina —, são igualmente protegidos por esses anjos.

Água-marinha em forma de gota

Por meio da água-marinha polida em forma de gota vêm até nós os anjos que são um "bálsamo para a alma" muito especial. A aura em forma de gota, em maravilhoso azul brilhante, do anjo superior cai, com o auxílio de todos os anjos que chegam através das facetas da pedra, no corpo da alma e leva pela primeira vez nossa alma, com seus pensamentos, a uma vibração protetora, harmônica, tranqüilizadora para com todos os impulsos internos. Sentimo-nos bem, salvos e aceitos pela vida. Também aqui encontramos a virtude curativa do amor divino, que atua com o azul elucidativo sobre nossos sentimentos e exteriorização destes. Ela irradia suavidade, conhecimento e calma natural.

Nossos pensamentos "sagrados", um amor divino e puro consolidado em si, também vêm através do azul luminoso para a vibração, sendo fortalecidos, com disso, em nossa consciência. O amor insatisfeito, relações "amorosas" dolorosas, sentimento de saudade do amor que nada mais é que a sexualidade são tocados igualmente por intermédio desses anjos da água-marinha em forma de gota. Eles nos ajudam a nos desprendermos dessas dificuldades com o descobrimento e a experiência do amor divino, extensivo, e não por meio de um companheiro. Assim, aprendemos a completar uma parte da nossa capacidade de amar não por intermédio de um outro ou da vivência no "exterior", mas aprendemos a conseguir em nós um amor aceito, compreensivo, extensivo em relação consciente com a nossa "auto-elevação", com nossa essência divina. Com isso, o desejo da nossa alma desassossegada é elevado a uma nova dimensão, com novas possibilidades de resultados. Por um lado, uma libertação crescente de condições unilateralmente impulsivas e aderentes concretiza relações e uniões propostas entre companheiros; por outro, é manifestada uma nova maneira de relacionar-se amorosamente com Deus. Este relacionamento nos traz uma até então desconhecida realização. Isto a alma sente como se fosse um bálsamo para seu desejo desassossegado, para amar sua própria vontade — sem exigências ou esperanças. Ao mesmo tempo, esse amor toca tanto a alma que ela anseia por mais. Se chegamos a esse estágio de desenvolvimento, cresce a nossa necessidade de produzir mais energia de união com nossa "auto-elevação", com amor, pureza, beleza divina e sabedoria completos.

Se usamos a água-marinha junto ao pescoço, ela torna nossa voz, ao mesmo tempo, suave e ainda clara; as palavras de completa pureza e agradável som vêm da nossa garganta. O chacra laríngeo é aqui ativado muito especialmente, pois este centro energético precisa da cor azul-clara em sua função, como também para sua completa manifestação. No plano físico, são cuidados com "bálsamo" os órgãos respiratórios, as mucosas, brônquios, pulmões e cordas vocais, assim como as feridas na área do pescoço, da nuca e, também, nos ombros.

Junto ao coração a água-marinha cuida de nosso coração "anímico" ferido. Nosso pensamento retém descanso, paz e equilíbrio internos. Com isso, a aflição anímica bem como algumas espécies de dor e perturbação se soltam do coração físico — elas resultam dos sentimentos estreitos unidos às manifestações firmes.

No anel usado na mão, a água-marinha nos satisfaz com sossego, pureza e confiança, o que nos leva à expressão que criamos de uma fonte interna de energia. Nossos desejos e nossa relação se tornam crescentemente livres com isso, e puros na beleza interna completa, o que se torna mais e mais perceptível também na vida diária.

TURMALINA AZUL-ESCURA CLARA

O anjo da saída

Com a turmalina, "os anjos da saída" chegam à expressão, como já foi descrito nas espécies de turmalina (pág. 69). As turmalinas que passam de azul-claro para azul-escuro — e, assim, unem em si as duas cores — nos ajudam a contrair uma união intensiva e livre com o mundo espiritual formal, ou seja, com todos os seres espirituais elucidativos e afetuosos que se mostram em forma espiritual e, desse modo, em um corpo de luz visível à nossa aura interna. Com isso nos são indicados caminhos para a comunicação consciente, através de um chacra laríngeo ativo, com os seres espirituais. Os anjos da turmalina azul-clara escura nos conduzem para fora de nossas prisões, angústias e bloqueios, porque eles nos ensinam a agradar ao mundo espiritual — e, com isso, também os anjos — em uniformidade, humildade, naturalidade e em amor extensivo. É uma pedra que atua especialmente no sentido dos anjos, protegendo-nos para tratarmos das pedras diariamente e, ainda, "com alta santidade". A turmalina azul-clara escura polida facetada é, como toda turmalina de duas ou mais cores, principalmente no alongamento, polida em forma angular. Isto tem grande significado para a turmalina azul-clara escura, pois ela cuida de uma passagem retilínea do anjo do chacra laríngeo para o chacra frontal, e traz à expressão, inequivocamente, o aspecto da "existência do canal". Por isso, é aceita somente uma forma.

Turmalina azul-clara escura octogonal

O anjo superior desta turmalina azul-clara escura polida facetada octogonal traz na sua aura em forma alongada, que passa de azul-claro suave para azul-escuro suavemente cintilante e ainda brilhante, forças de elevação em si. Elas serão protegidas por todos os anjos que nos chegam através das facetas da pedra. Eles cuidam para que energias e expressões da nossa alma venham para nossa consciência — tais energias e expressões nos livram da autotarefa até à autodestruição. Mas eles nos abrem também uma porta através da qual podemos mergulhar na terra espiritual e, com isso, na salvação da nossa alma. Um robustecer de descanso, de paz interna e de equilíbrio vem desse modo até nós. Recebemos uma entrada, vivenciável em nós, para o mundo espiritual formal, para contatar com os seres de luz que nos cercam e atuam por nosso intermédio. Isso acontece através do azul intenso, enquanto o azul-claro da turmalina de duas cores desliga as forças em nós, natural e claramente, para falarmos com esses seres. É certo que, por um lado, aprendemos a recebê-los, incluí-los como realidade em nossos desejos e atos e, com isso, nos colocarmos à disposição deles como "canal". Por outro lado, a eficiência desses seres depende da clara "formulação de nossos objetivos", da nitidez dos nossos pedidos junto a eles — o que, com certeza, não pode ser trocado com um agrado exigente, ou até mesmo absoluto, despótico. A suavidade dos anjos azul-claros escuros nos ensina a agradarmos a eles com simplicidade e humildade e, ainda, com o saber exato de que nossos chamados, ou nossa comunicação, são ouvidos, aceitos e retribuídos com energia satisfatória. Quanto mais precisamente nos manifestamos, tanto mais claramente um ajudante espiritual pode atuar sobre nós — muito mais e ainda mais direto do que podemos imaginar. Ao mesmo tempo, acontece ainda alguma outra coisa, pois aprendemos também a nos manifestarmos com mais clareza no dia-a-dia e a não suprirmos as flores de retórica de delicadeza adaptada, como, por exemplo, as formas de possibilidade — "Você poderia por favor...", "Seria possível...", "Você gostaria de..." etc. — por meio de pedidos inequivocamente formulados, com os quais levamos à expressão o que realmente esperamos. Vivenciaremos mais rápido porque, tanto no plano espiritual como no terrestre, um claro pedido de ajuda cria uma energia límpida, em linguagem nítida e forma de expressão inequívoca.

Turmalina azul-escura

A turmalina monocromaticamente polida facetada azul-escura está unida aos anjos que nos mostram as saídas das ciladas carmáticas que são especialmente mantidas ou, até mesmo, reforçadas por meio dos nossos pensamentos. Cada pensamento, idéia ou sentimento com os quais nos dirigimos a alguém ou fazemos alguma coisa mentalmente emana uma energia que chega aos outros, fortalecendo em nós as forças que tornam realidade uma idéia ou um desejo. É a energia que vai para um outro ser humano quando pensamos nele, ou, ainda, que vai para um outro ser espiritual, quando nos dirigimos a ele por intermédio do pensamento.

Cada vez que pensamos em alguém ou falamos sobre ele, unimo-nos a ele energeticamente — mesmo que fisicamente não esteja perto de nós. A distância física não é relevante no mundo espiritual. No momento em que pensamos em alguém ou falamos dele, unimo-nos diretamente a uma parte da sua essência — parte esta que se sente atraída, de uma maneira ou de outra, pelo nosso pensamento. Quando o homem no qual pensamos está longe, momentaneamente uma trajetória de energia vai até lá — correspondendo à qualidade de energia do nosso pensamento — e deixa a parte da sua essência que ativamos com nosso pensamento ficar formalmente ao nosso lado e, também, atuar sobre nós. Se pensamos, sentimos ou falamos num bom sentido deste homem, existe uma união elucidativa, uma irradiação de luz que chega ao outro, desprende-se e constrói energias protetoras agradáveis. Se nossos pensamentos são dirigidos contra um homem, se falamos tanto dele a ponto de prejudicá-lo, chega então uma irradiação de energia escura, agravante, que não só prejudica o outro como também a nós mesmos. Pois as interações de energia vão e vem. O que enviamos volta novamente a nós. Se pensamos em um homem com completa estima e amor, chega luz a ele e a nós também. Se pensamos nele com ódio, rejeição ou desdém, vêm energias correspondentes para a nossa própria essência, e esse potencial é fortalecido em nós. Porque nós nos unimos à parte da essência que nós tocamos por intermédio de nossos pensamentos, palavras, sentimentos; e essa parte que nós mesmos ativamos atua reciprocamente em nós. Se são uniões elucidativas que ativamos através de pensamentos "positivos", as relações agravantes, assim como enlaces cósmicos opressores, são salvos e transformados. Caso contrário, adquirimos cargas adicionais ou, ainda, novos encargos carmáticos.

Os anjos da turmalina azul-escura nos instruem em envolvimentos respeitosos com os outros seres humanos, tanto eles estando junto de nós, como não nos podendo ouvir diretamente; quando falamos sobre eles ou neles pensamos. Os anjos nos ajudam a desprender as uniões carmáticas agravantes e a não deixar nascer novas, assim como construir e fortalecer uniões elucidativas. Com isso devemos, como acontece com relação a todas as pedras e seus anjos ajudantes, observar que precisamos de muita proteção do mundo espiritual elucidativo e afetuoso para desprendermos as energias agravantes, desarmônicas, dolorosas, maléficas e para deixarmos chegar a nós um potencial elucidativo. Contribuímos muito, e por longo tempo, para construir em nós essas energias agravantes e, por isso, devemos outra vez pedir ajuda conscientemente; devemos enviar luz, esforçar-nos para isso, educar nosso mundo mental e emocional, a fim de manifestarmos "bons" pensamentos e sentimentos de completa luz e amor puro, desinteressado. Isto não é feito de uma só vez. Quando pensarmos em um outro homem ou falarmos sobre ele, deverá ser num bom sentido, com completa luz e amor. Se aparecer um pensamento agravante, um sentimento agravante em nós, devemos desligá-los com a luz; ao mesmo tempo, enviamos conscientemente um pensamento de completa luz, a ser recebido afetuosamente. Também podemos fazer isto por nós mesmos. Existem situações suficientes nas quais nos irritamos conosco, ficamos infelizes conosco. Então, desprendemos esses pensamentos, esses sentimentos e, ao mesmo tempo, nos visualizamos em luz divina, amando tudo. Neste processo de educação, os anjos da turmalina azul-escura também estão ao nosso lado. Podemos pedir-lhes, conscientemente, proteção para um "bom" propósito.

Turmalina azul-escura oval

Com a turmalina azul-escura oval polida facetada vem até nós o anjo superior com a aura em forma de ovo, em suave luz azul profundo. Juntamente com todos os anjos que vêm através das facetas, ele atua especialmente para a harmonização carmática dos adoecimentos condicionais do nosso corpo. Pensamentos, sentimentos, atitudes, ações nas encarnações anteriores receberam uma extensão que conduziu a uma carga no nosso corpo. Às vezes, já trazemos essa doença para nossa vida com o nascimento; mas ela também pode irromper em outras fases da nossa existência terrestre, pois nossa repressão também é estampada nesta vida pelas energias correspondentes, que se manifestam como doença em um determinado tempo. Freqüentemente, os adoecimentos crônicos resultam disto ou, ainda, quando a extirpação cirúrgica de um órgão é necessária. Os anjos nos mostram uma saída das nossas dores físicas; ao mesmo tempo, eles nos trazem com toda suavidade a nossa energia de confiança e instruem nossa consciência a reagir cada vez mais com pensamentos elucidativos e sentimentos afetuosos no nosso ambiente, assim como com relação às nossas lembranças "dolorosas". Eles nos ensinam a nos dedicarmos completamente à luz do amor divino e a não nos precipitarmos em autocompaixão, ódio, inveja, desforra etc. Assim, aprendemos a liberar o nosso bem-estar físico da energia maléfica, perturbadora.

Turmalina azul-escura octogonal

A turmalina azul-escura polida octogonal nos leva à união com um anjo superior com aura alongada, que irradia suave luz azul profundo. Ele é acompanhado por anjos que chegam através das facetas, as quais brilham em luz azul própria. Eles cuidam da salvação das nossas energias carmaticamente condicionadas, que influenciam nossas relações com amigos, família, profissão e, até mesmo, apartamento ou casa. Eles nos ajudam, em todas as situações em vidas conjuntas e cooperativas (de maneira privada ou profissional), a desenvolver um modo de vida harmônico por meio de práticas constantes de pensamento e envios de luz "positivos". Este modo de vida nos liberta mais e mais de contextos agravantes e, ao mesmo tempo, ainda nos aproxima das forças e ligações que nos protegem positivamente. Podem ser pessoas que, de forma inusitada, entram na nossa vida — seja no local de trabalho, em domínio privado, atividades de lazer, hospitais, seminários, ou em qualquer outro lugar. Atraímos as pessoas afins por intermédio de nossa própria vibração. Se a nossa irradiação é positiva, agradável, construtiva, agradecida, afetuosa, encontram-nos indivíduos que enviam também luz e afeto. Pode ser também que venham a conhecer, de repente, sob novo ângulo ou mesmo sob seu aspecto luminoso e amável homens confiáveis em quem antes pensávamos com sentimentos aviltantes. Nossa atitude e direcionamento alterados com relação a ele podem mudar sua atitude perante nós.

Os anjos nos ajudam a encontrar nosso ambiente sempre de forma mais intensamente elucidativa e luminosa.

Turmalina azul-escura redonda

Os anjos da turmalina azul-escura redonda polida facetada vêm até nós, em cor suavemente azul profundo brilhante, por intermédio de um anjo superior com aura em forma de bola. Estes anjos têm a tarefa de guardar nossos pensamentos e seus respectivos padrões livres de todo negativismo e possíveis agravantes. Eles nos ensinam a agir conjuntamente com nossa parte da essência elucidativa e a direcionar sua vibração para os aspectos ainda ensombreados do nosso ser. Eles também nos instruem, com isso, a enviar conscientemente a outros homens bons pensamentos e energia de luz protetora. Desse modo, eles ativam nossa capacidade de cura a distância, com a qual podemos enviar a outros homens, não obstante a distância, a luz curativa, harmonizadora e divina. Com isso, podemos proteger-nos com freqüência, de preferência diariamente, de forma consciente e ativa, contra as correntes de energias agravantes que nascem através de pensamentos e sentimentos negativos com os quais outros pensam em nós. Pois cada vez que alguém pensa em nós ou fala de nós, alcança-nos por meio de uma informação energética. Às vezes, pensamos em alguém que, ao mesmo tempo, também pensa em nós. Se são pensamentos e sentimentos carregados contra nós, a corrente de luz futura atua agravantemente sobre nós e faz com que essas energias fluam em uma parte fraca ou doente do nosso organismo; e, então, essa corrente pode desatar as manifestações de incômodos ou dores. Pode ser também que pensemos em situações ou encontros desagradáveis com essa pessoa, ou imaginemos que tudo que nos incrimina com respeito a ela, prospera em nós. Então, isto fica em nós como se tivéssemos relação com o caso. Podemos elevar-nos e, com isso, causarmos a ela e a nós outro acervo. Se tal suceder em um processo terapêutico, no qual, sob instrução, despachamos nossas estruturas lesadas, isto será temporariamente conveniente, se a terapia terminar em uma atitude harmônica. Podemos, também, ser conduzidos a aprender, a transformar em luz o que aparece em nós como culpa. Porque, se alguém pensa e fala negativamente sobre nós, ao mesmo tempo satisfazemos interiormente a parte da alma ferida carregando-a com luz e amor, e também enviamos àquele que podia animá-la uma corrente de luz e de amor. Este é um método de autocura intensamente eficaz, com o qual, ao mesmo tempo, sentimos ainda outros homens com energia harmonizadora. Assim, aumentamos em nós o potencial de luz que nos protege, progressivamente, de "ataques" de outras pessoas. Mas aprendemos também a enviar aos outros uma energia de luz salutar por meio de nossas visualizações — uma possibilidade de cura a distância com a qual podemos proteger os outros com a luz. Os anjos da turmalina polida redondamente nos ajudam, especialmente, a corrigir nossos pensamentos, intuições e intervenções na luz. Eles nos abrem, assim, uma saída das interdependências carmáticas com outros seres humanos.

Turmalina azul-escura em forma de gota

Através da turmalina azul-escura polida facetada em forma de gota vêm até nós os anjos que cuidam especialmente de nossos sentimentos feridos, carregados com desarmonia, e cuidam também das energias emocionais resultantes, que podem ser dirigidas contra nós mesmos ou contra outros. O anjo superior aparece em grande aura elevada, atuante em forma de gota em suave azul-escuro brilhante, seguido por todos os seus anjos ajudantes que chegam atraídos das facetas. Cada sentimento que em nós aflora vem de uma estrutura profundamente enraizada em nossa alma e está unido a um extenso complexo de energia emocional. Alegria e dor, com todas as suas combinações de manifestação, atuam da alma para fora especialmente durante a vida terrestre, pois aqui na Terra está polarizada a estrutura energética total. Cada campo de força que pode manifestar-se no plano terrestre está baseado no princípio da polaridade. Existem, por exemplo, em cima e em baixo, dia e noite, pólo norte e pólo sul — o que nos mostra um oposicionismo no "exterior", e se repete nos mais diferentes planos de domínio material e espiritual aqui na Terra. Com isso, um campo de tensão é "anteriormente programado", e a ele nós, homens, somos expostos com uma parte da nossa alma — aquela parte que consegue, especialmente, acessos às vibrações terrestres por meio desta vida terrena e do corpo físico, através do qual ela se encarnou. Pois nossa alma é maior e mais extensa do que a que temos à disposição em nossa vida terrena. Existem ainda potenciais "adormecidos", inconscientes, assentados no escuro, que, assim como o núcleo da luz da alma, permanecem intocáveis pelas experiências da alma aqui na Terra.

A vibração provoca em nossa alma sentimentos opostos com os quais nos dispomos a classificar tudo como bom ou mau, a avaliar e a dividir. Os anjos da turmalina azul profundo em forma de gota nos conduzem à força de confiança da nossa alma, com a qual distinguimos o conflito estimado com os contrastes da vida. Vivenciamos na vibração azul que esses anjos levam à nossa alma uma grande força imortal, que se importa em nos adicionar a confiança e a salvação com um outro plano terrestre vindouro. Podemos compartilhar da origem "cósmica" da nossa alma, que não estima, não se sente arrancada para fora ou para dentro, mas, sim, que descansa em si, conhecendo o eterno, o de todos os tempos. O descanso profundo, a paz e a harmonia entram com esta experiência na nossa alma, que abrange em si todos os padrões de sentimento que são utilizados nesta vida terrena, e assim estão estampados na vibração terrestre da polaridade. Os anjos nos mostram, por intermédio da energia da confiança da alma, um caminho de todas as afeições estimadas, separadas, estilhaçadas da nossa alma. Com isso, velhos padrões se soltam crescentemente do próprio campo de tensão interno no domínio do pensamento. Isto tem como conseqüência, por outro lado, o fato de também aprendermos a tratar as pessoas com os sentimentos que outros, com os quais estamos unidos emocionalmente, podem desprender de nós. Por meio do conhecimento de que nós mesmos contribuímos, por intermédio das estruturas da nossa alma encarnada, para que alguma coisa nos fira, nos cause dor, nos alegre etc. animicamente, nos tornarmos mais e mais livres disto para deixar de julgar os outros e tornálos responsáveis por alguma coisa, se nós vamos "mal" ou "bem". Mesmo que não nos distingamos desta valorização, porque reconhecemos como tudo é relativo e tem um sentido mais profundo, ao mesmo tempo, não julgamos mais nós mesmos ou os outros, e aprendemos que o mundo não se divide apenas em "bom" e "ruim". Então um sentimento de alívio entra em nossa vida — serenidade na qual tomamos parte numa nova maneira de viver. As uniões carmáticas com outros homens que podiam atuar agravantemente sobre nós são examinadas com esta atitude da alma interna modificada. Se quisermos transformar essa energia carmática, empregamos também o envio ativo de luz. Cada vez que um sentimento de culpa relacionado com um outro ser surge em nós, satisfazemos essa sensação com luz e um sentimento de amor todo compreensível e todo perdoado. Ao mesmo tempo, enviamos à pessoa com a qual este sentimento culposo está relacionado uma irradiação de luz, que nos permite refazer a união de energia carregada, escura, inundando-a com a luz. E, assim, vemos essa pessoa, perante "nosso olho interno", repleta de luz e cercada por ela. Desse modo protegemo-nos das suas energias emocionais, com as quais ela pode pensar em nós com pensamento moderado, e contribuímos, ao mesmo tempo, para que não sinta nada ruim contra nós. Com o tempo, concretiza-se uma união de energia harmoniosa que pode mostrar-se já nesta existência na Terra ou, ainda, em uma outra encarnação, na qual se chega, de alguma maneira, a nova união com a alma dessa pessoa. Assim, o que era agravante pode ser salvo e transformado em carma protetor. Ultimamente, reconhecemos que não existe carma agravante, que não existe nada mau, pois o carma agravante nos permite procurar a salvação, o que garante o processo de transformação da consciência da alma. Tudo o que nos acontece e nos aparece é trazido pelo amor divino. Este amor sabe o que de melhor precisamos para a nossa elevação e perfeição, e nos permite encontrar aqui, na nossa encarnação terrena, homens que protegem esse processo. Os anjos da turmalina nos mostram as saídas onde nós mesmos não conseguimos ver mais nada.

Se usamos a turmalina azul-clara escura, ou completamente azulescura, junto ao pescoço, ela nos ajuda a pensar bem sobre os outros, e, também, a falar bem com os outros. Ela nos auxilia a agradar aos seres espirituais de forma clara, distinta, natural, e ainda, afetuosa e respeitosamente, a chamá-los internamente e a pedir sua proteção.

Usadas junto ao coração, essas turmalinas, juntamente com seus anjos, causam, ao mesmo tempo, uma solidariedade sentimental especial com todos os seres espirituais afetuosos e elucidativos que nos cercam e atuam por nosso intermédio. Um sentimento íntimo, profundo, de que os anjos e os condutores de espíritos estão lá, nos percorre e aumenta nossa segurança e naturalidade, a fim de nos voltarmos para esse mundo.

Usadas como anel, os anjos das turmalinas azul-clara escura e azul-escura deixam nascer em nós um procedimento claro, já consciente de que os pensamentos, as palavras e os sentimentos trazem em si forças que atuam tanto sobre nós mesmos como também sobre os outros. Eles ajudam a nos proporcionar, especialmente por meio do anel, uma luz ativa da vida e, conseqüentemente, a orientar nosso pensamento e nossas relações com esse objetivo.

SAFIRA

Os anjos do ideal elevado e da energia da crença

Juntamente com o rubi, a safira depois do diamante pertence totalmente ao anjo da pedra mais endurecida. Enquanto o rubi, por meio do cromo, retém seu vermelho singular, a safira aparece por intermédio de outras diferentes estratificações em diversas cores, que levam o espectro total do branco à expressão através do laranja, amarelo, verde, rosa e azul até o violeta. Mas somente a pedra azul é designada simplesmente por safira. Com relação às outras safiras, a cor também é designada, tanto que se fala, por exemplo, de uma safira verde ou de uma safira amarela. Todas trazem consigo a oscilação fundamental da safira, levando-a especialmente ao respectivo centro de energia, que reage dominando a cor correspondente: a safira verde, por exemplo, atua especialmente no chacra cardíaco; e a safira amarela, no chacra esplênico.

Aqui nos voltamos para a safira azul, que é designada desde a tradição mais remota como safira. Quando falamos da safira, ainda hoje, pensamos na safira azul e não nas suas variações de cores.

A própria safira aparece em diferentes tons azuis: da azul-clara, passando pelo azulóio e azul-rei, até à azul-escura, profundamente brilhante, e mesmo à azul-ferrete — em safiras opacas, não-transparentes. Nós nos abrimos ao mundo das safiras transparentes azuis facetadas polidas brilhantes, que nos levam à união com "os anjos do ideal elevado e da energia da crença", que cuidam para que nosso caminho de vida decorra correspondendo às tarefas preconcebidas da alma, com grande e profunda energia de confiança e entusiasmo. Eles promovem em nós a capacidade de entusiasmo para com o excepcional, mas também uma disciplina correta e resistência, a fim de alcançarmos um alto objetivo, que nos leva a aproximar-nos de uma manifestação ideal. Ao mesmo tempo, os anjos da safira zelam para que não percamos o caminho no qual nossa alma se colocou visando ao desenvolvimento de sua potência espiritual nesta vida terrena para atingir seu objetivo. Eles também nos protegem de encontros e influências perturbadoras tanto do mundo espiritual como do plano físico. Uma franqueza e severidade seguras vêm, com isso, para nossa vida.

Safira oval

Por intermédio da safira oval polida facetada vem até nós um anjo superior com aura em forma de ovo, no azul brilhante da pedra, elucidativo e radiante. Através das facetas das pedras, aparece ainda um exército de anjos, mais precisamente neste magnífico azul, para a proteção do anjo maior, que determina com sua aura a forma da energia. Com a forma oval, especialmente, o nosso corpo e os acontecimentos carnais são manifestados e satisfeitos, assim como a aura do corpo.

Esses anjos nos ajudam a atingir uma existência consciente do corpo, protegendo-o e aliviando-o em sua função. Seja descobrindo qual alimento nos faz bem em um determinado tempo ou nos orientando na escolha da alimentação. Seja fazendo com que conheçamos e empreguemos freqüentemente uma ou mais possibilidades de movimentação do nosso corpo para mantê-lo — como "veículo" ou "vaso" da nossa alma — em boa situação, elástica, por exemplo, por meio da natação, dança, *cooper*, tai chi chuan, exercícios bioenergéticos e outros. Recebemos desses anjos, também, uma proteção que mostra resistência e paciência, como quando nosso corpo registra vagarosamente as reações de cura e bem-estar, confirmando-nos que reagimos aos seus sinais e podemos influenciar a decisão do nosso organismo por meio de nossa atitude e procedimentos em relação a ele. Isto nos motiva a ouvir, continuamente, a "voz" do nosso corpo, a renunciar aos costumes prejudiciais e, com isso, a aprender o desprendimento das afeições impulsivas.

De maneira segura, caminha então por aí um autodomínio. Ao mesmo tempo, tornamo-nos progressivamente independentes e livres dos nossos impulsos, aprendendo a obedecer à nossa voz interior, que corresponde à nossa digna conduta interna divina, à "auto-elevação". Para o domínio do plano físico, da vibração densa, material, precisamos da energia mais forte e resistente, até que reconheçamos ou notemos uma mudança, por exemplo, a cura de uma doença no nosso corpo. Com isso, as virtudes necessárias para tanto, ou seja, as qualidades energéticas são realizadas em nós mais distintamente, de modo que temos à nossa disposição, no plano material, um potencial de energia purificado, liberto das interdependências e prisões terrenas, para que possamos torná-lo ativo também no plano "mais alto" — por exemplo, no corpo da alma e/ou no corpo do espírito. Lá uma reação é atraída mais diretamente do que no corpo "material", — na verdade, não a atingimos com o olhar, o sentir, o pensar, ou o ouvir "interiores", mas podemos somente sofrê-la internamente. Isto provoca, mais uma vez, a energia da crença — porque não "vemos" nem "sentimos" que alguma coisa acontece. Por outro lado, esta crença e a confiança trazem consigo, para eficácia dos nossos atos, uma sensibilização das nossas possibilidades de percepção, o que aguça nossa sensibilidade. A tal ponto que podemos compartilhar mais e mais dos processos no domínio espiritual, e vivenciamos o que lá aconteceu por meio das nossas atitudes — mesmo que não vejamos isso com o nosso olho externo e que não o sintamos no nosso corpo carnal, material.

Os anjos da safira oval protegem este processo de libertação dos hábitos obrigatórios, energizando o corpo, e nos conduzem através da entrada às verdadeiras necessidades do nosso organismo físico e da nossa alma em direção a uma consciência elevada, com sensibilidade crescente para as mensagens e instruções internas da "auto-elevação", assim como da experiência consciente da evolução espiritual.

Safira octogonal

Com as safiras octogonais polidas facetadas vêm até nós os anjos superiores com aura que aparece extensamente no azul brilhante da respectiva safira, acompanhado por todos os anjos que a ela pertencem por intermédio de cada faceta. Esses anjos também apresentam uma aura que corresponde à forma da faceta e à cor da pedra. Eles trazem objetivos e ideais elevados para a nossa vida material e colocam sempre à nossa disposição uma energia de confiança profunda na motivação e realização. Além disso, eles atentam para que tomemos em nossa vida decisões "corretas", que favoreçam as necessidades de manifestação da alma.

Isso atua, por exemplo, na escolha do companheiro, se e quantas crianças nascerão dessa união, na opção pela profissão, formação e desenvolvimento da trajetória profissional, na escolha e criação de um lar, seja num apartamento ou numa casa. Ao mesmo tempo, um alto objetivo interno sempre assiste à força motriz, à pretensão quanto à melhor realização possível — o que também atrai isto para o isolamento nos respectivos domínios da vida e nas situações existenciais. Se usarmos uma safira polida octogonal, nosso dia-a-dia será seguidamente determinado pelo conflito entre conteúdos existenciais e objetivos elevados, que ultrapassam a vida material, espiritual e moral, estética e religiosamente orientados. As decisões e sentimentos de realização e alegrias são concretizados por alta pretensão junto a si mesmo e aos outros. Uma severidade e disciplina seguras também são vividas para alcançar esses objetivos. Os anjos nos ajudam em nossas ambições para "cima" e, ao mesmo tempo, eles intensificam uma energia de crença inabalável nas profundezas da nossa alma, levando-a ainda à nossa consciência. A energia de confiança que em nós intervém — tanto que tudo que fazemos mostra uma certeza de que o objetivo ambicionado é compensador — nos conduz do "interior" para fora, seja por intermédio de Deus, inspirações, um anjo da guarda, uma força "elevada" ou sabedoria. Em todo caso, isso é sentido como algo que sai através da existência humana terrestre e leva para dentro da nossa vida material uma dimensão mais elevada, para a qual vale a pena empreender os esforços necessários à realização e à manifestação de um ideal.

Safira redonda

Através de uma safira redonda polida em facetas vem até nós um anjo superior com aura em forma de círculo, ou com formato de bola (se virmos isso tridimensionalmente). Ele é vislumbrado no brilho sedoso do tom azul que a pedra irradia, e seguem-no os anjos que se sentem atraídos através das facetas da safira. Eles direcionam nosso pensamento para os ideais elevados e as energias de confiança, fortalecendo nossa intuição e inspiração. Com os magníficos tons azuis do anjo da safira, nossos pensamentos se tornam preciosos e se voltam às manifestações e aos fenômenos extraterrestres, considerados tanto com o juízo lógico analítico quanto intuitivamente trabalhados. Nossa atitude interna e concepção de mundo transformam-se com esse direcionamento à evolução cósmica e à penetração das regularidades perpétuas e segredos da vida, cujas conseqüências se generalizam nas nossas particularidades. Nossos pensamentos sobre o sentido da vida não se limitam só à realização física, material, da nossa existência terrestre, mas também ocorrem com relação ao caminho do conhecimento espiritual. Fazemos boa figura de nós através da nossa origem e pensamentos futuros, por meio do papel e da tarefa do homem na Criação. Na nossa procura e pesquisa em direção ao conhecimento espiritual, os anjos da safira nos conduzem também a professores, mestres e iluminadores espirituais, a fim de recebermos, do plano terrestre, proteção e estímulo na elevação espiritual. Existem homens que já reconheceram, mais ou menos, a utilização consciente das forças cósmicas, através da energia potencial e do saber espiritual. Quantos nos mostram como podemos alcançar isso igualmente, pois dispomos de meios e estamos em condições de assimilar o conhecimento acessível àqueles que se sentem atraídos pela sua vibração. Os anjos da safira nos protegem e cuidam para que encontremos, no tempo e local certos, o professor espiritual de que necessitamos. Satisfazendo à evolução da alma, eles nos permitem reconhecer corretamente o de que precisamos para a continuação do nosso desenvolvimento, o que agüentamos e podem integrar à nossa consciência — nem muito nem pouco. Isto depende da maturidade e do cunho da nossa alma, para quais ensinamentos e professores somos conduzidos, e o que podemos receber e apreender deles.

Safira em forma de gota

Quando nos sentimos atraídos por uma safira polida facetada, ansiamos por uma instrução da alma para suas insuficiências intuitivas. A alma sabe qual tarefa efetuou nesta encarnação, quais objetivos ambiciona, o que quer dominar e qual potencial quer manifestar. Na Terra, durante a vida humana, ela é confrontada, então, com tentativas e forças entrelaçadas que estão nos caminhos. Apesar de tudo, a alma já está incomodada novamente, para fazer justiça às suas exigências internas e obter um disciplinamento dos sentimentos, que sobressaia na existência da transformação do domínio. Isso vem também no texto da Bíblia, com a expressão "se sujeitem à terra". Nascemos neste planeta para libertarmos a alma de sua inconsciência e, com isso, da escuridão. Ao mesmo tempo, aprendemos a reconhecer as leis espirituais da vida e a empregá-las, promovendo uma libertação crescente da cadeia da inconsciência. Por meio do domínio do mundo sentimental, libertamos as energias na alma, que ficam então à nossa disposição para a realização de um "ideal". De tal forma que vivenciamos interiormente o sentimento crescente de que vivemos nossa existência mais de acordo com as necessidades da alma, e as tentações terrenas que se opõem a esse sentimento não podem mais nos desviar disso. Um anjo superior com aura em forma de gota vem até nós — completamente imerso na luz azul da safira — e toca as profundezas da nossa alma, de onde podemos extrair a confiança divina e a energia da crença para distinguirmos entre as prisões terrenas e as dependências da nossa vida sentimental. Todos os anjos que o acompanham, através das facetas da pedra, nos protegem a fim de encontrarmos, nas várias ramificações do nosso mundo sentimental, as tarefas e objetivos criados pela alma, e que nos foram dados a conhecer pelo anjo superior — o que nos une e poupa. Os anjos da safira nos ajudam a conduzir uma vida espiritualmente satisfeita, e a nos sentirmos bem e salvos com a energia da nossa alma progressivamente reconhecida e libertada. Com isso, a paz profunda também penetra em nós.

Se usarmos uma safira junto ao pescoço, a confiança divina e o espírito de Deus falam por intermédio de nossas palavras. Aprendemos a exprimir de maneira nova, por meio das palavras, as perguntas e os conhecimentos espirituais, e assim permutar nossa vivência com os outros. A intuição e a inspiração são especialmente fomentadas quando colocamos a safira para meditação sobre o nosso chacra frontal — acima da raiz do nariz, entre as sobrancelhas. Mas também quando usamos a safira junto ao pescoço, sua vibração vai, através do chacra laríngeo, para o chacra frontal e, ainda, para o coronário.

Se a safira é usada junto ao pescoço, nossos desejos mais internos do coração se satisfazem — mas, freqüentemente, de forma diferente da que imaginávamos. A vibração da safira despertará em nós os ideais elevados, e os objetivos e suas realizações chegarão a um desejo do coração. Nossa ansiedade e ambição pelo conhecimento e aperfeiçoamento espiritual serão protegidos.

Usada como anel na mão, nós nos sentimos especialmente fortes, unidos à força da safira. Aqui, ela estará diretamente aliada à nossa alma, para fazer justiça às suas altas tarefas e exigências.

Para um homem que se coloca à disposição como canal para a curadora energia da vida espiritual e que assim se tornará um transformador, um mediador da energia espiritual para a manifestação das forças de autoconsagração —, o anel de safira tem um significado especial. Tal homem é protegido por este anel contra as essências e forças espirituais que não correspondem à manifestação ideal da sua alma, ficando assim em uma atitude consolidada, desinteressada, pura, quando ele é utilizado como salvador. Seu ego não aparece com as energias e manifestações arbitrárias, tanto que ele não se sente culpado nem "lixiviado" depois de um tratamento, mas sente-se tocado pela fonte de energia inesgotável do amor divino que ele deixou deslizar através de si.

A safira estrela nos une a uma energia muito especial. Quanto às safiras não muito transparentes — que não estão polidas em facetas, mas, sim, foram levadas como polimento cabochão para irradiação —, elas estão unidas às energias de luz da qualidade do anjo. Graças às agulhas de rutilo cintilante claro, mais delgadas e que são armazenadas em três direções, aparece uma estrela de seis pontas, que é visível especialmente com a movimentação da pedra, quando começa então a cintilar e brilhar.

Ela nos leva à união com as forças de luz elevadas de um outro planeta, de uma estrela brilhante. Usada como anel, essas forças de luz protegem nossas atitudes espirituais direcionadas para o alto, estimulando-nos a ser energeticamente ativos e propagadores da energia de Deus.

AMETISTA

Os anjos da meditação e da intuição

No violeta da ametista se concentram as energias das cores vermelha e azul — mas de forma diferente do que no rubi. Na ametista o azul domina e o jogo do azul e vermelho pode aparecer desde os tons pastel suave — o rosa-violeta — até à cor violeta intensivamente concentrada. Na Antigüidade, a ametista era considerada da mesma preciosidade de rubi, safira, esmeralda e diamante. A princípio, a descoberta do acontecimento precioso no Brasil diminuiu seu valor material até aqui, como ocorreu na arte do "colecionador de pedras preciosas". Assim, podemos hoje, por preços acessíveis, possuir as diferentes formas da ametista. Raramente os cristais de ametista apresentam pureza interior e cor uniforme. Na maioria das vezes, as pontas são de um violeta-intenso, enquanto o restante do cristal em cor pura será sempre do claro até o sem cor, freqüentemente atravessado por "nuvens", inclusões e arco-íris. Somente as pedras claras, transparentes, e especialmente as de cor violeta-intenso, são polidas em forma de facetas e atraem os anjos do plano e da qualidade a que correspondem as pedras preciosas descritas até então. Existem anjos que, correspondendo à união do vermelho e azul, recorrem ao nosso amor pelo espiritual, místico, inconcebível, o inominável. Por intermédio deles entramos em contato com a alma, o espírito da vida, que não nos deixa mais ver uma forma espiritual, uma essência no corpo de luz espiritual, mas, sim, faz vir o mundo espiritual sem forma até nós — seja em oração, em meditação. Ao mesmo tempo, nós nos colocamos à disposição como canais para a força espiritual, a energia da vida universal, e vemos deslizar frente ao nosso olho interno uma luz violeta, através da qual o curador sabe que essa é a expressão da força da vida pura, espiritual. Essa energia sabe onde correr no buscador de auxílio e o que desprender neste espírito necessitado. Cada manifestação própria — ainda que solicitamente pensada — seria limitada por esta energia. Os anjos da ametista nos ensinam a produzir a união para essa fonte de energia elevada; ao mesmo tempo, eles nos levam à oração, meditação, existência do curador, ativando em nós o respectivo potencial de energia. Esses são "os anjos da meditação e da intuição".

Ametista oval

Com a ametista oval polida facetada, vem até nós um anjo com aura desde o violeta suave até o violeta profundo, em forma de ovo — correspondendo à cor da pedra. Os muitos anjos que chegam à pedra através das suas facetas seguem o anjo superior. Este exército de anjos está encarregado de nos trazer energia das dimensões mais elevadas para a ativação das forças de autocura no nosso organismo, fazendo-nos sentir, com isso, a aura do nosso corpo. Eles nos ensinam a encontrar dentro de nós mesmos — por intermédio de oração, meditação e outras formas de nos voltarmos para o interior, para a força pura — conclusões de que Deus está e atua em nós. Existem diferentes dimensões do nosso ser — uma das quais é uma parte divina, que podemos contatar conscientemente outra vez aqui na Terra. Os anjos da ametista oval polida nos ajudam a procurar por este potencial quando as dores e a doença atormentam nosso corpo. Eles nos permitem pedir ajuda a Deus e nos ensinam como encontrar acesso às nossas energias de autocura no amor e na confiança junto à força de Deus. Este processo não leva somente ao desprendimento e à cura progressiva do nosso corpo, mas também a uma união afetuosa, agradecida com Deus. Essa união consolida em nós, ao mesmo tempo, um saber em torno da Sua existência e atividade. Assim, procuramos não somente ajuda de fora, quando as dores do nosso corpo nos fazem padecer, mas também tomamos decisões por nós, voltando-nos para nosso interior de uma maneira com a qual sabemos, simplesmente, alcançar Deus em nós — e pedir-lhe ajuda. Com isso, a tranqüilidade e a certeza profunda entram em nós, ajudando-nos a receber; Ele ascende, atuando em nós, salvando-nos e relaxando-nos.

Ametista octogonal

Por intermédio da ametista octogonal polida facetada vem até nós um anjo superior com aura irradiada no violeta brilhante da pedra, acompanhado por muitos anjos que chegam através das facetas. Eles deixam a bondade e a sabedoria penetrar nas nossas decisões e relações no plano terreno, e nos ensinam a pedir a ajuda de Deus também para nossa conduta na vida diária. Assim, isto nos torna naturais para conseguir, diariamente, voltar ao nosso interior e solicitar a assistência de Deus para dominar divinamente as exigências da vida com a energia pura. Também em muitas situações de indecisão, falta de sinceridade, medo, necessidade etc., nada está mais próximo de nós do que a união interna com Deus. Os anjos nos ensinam, acima de tudo — seja com relação a nossa família, vida profissional, nosso lar, nossas férias —, a compreender conscientemente Deus e a confiar na Sua orientação.

Construímos nossa casa não sobre areia (ou seja, material passageiro), mas, sim, sobre o rochedo da nossa energia de confiança e união com Deus. Aprendemos que nada acontece aqui na Terra sem Sua intervenção e que nunca somos abandonados quando conhecemos Sua força e compreendemos conscientemente sua participação em nossa vida.

Ametista redonda

Com a ametista redonda polida facetada vem até nós um anjo superior com irradiação em forma de bola violeta — juntamente com os anjos que chegam através das facetas das pedras. Esses anjos unem-se a elas para nos inspirar idéias espirituais e ativar o lado intuitivo da nossa inteligência. Eles nos propiciam novos impulsos do pensamento e estímulos mentais nos conflitos que temos de resolver no plano mental-espiritual, e nos conservam com isso a fim de penetrar no nosso pensamento e ações espiritualmente. Ao mesmo tempo, eles evocam nossos pensamentos a Deus e nos ensinam a penetrar na calma interior, a nos retirar do mundo externo. A calma salutar atinge nosso espírito. Assim, atingem também a tranqüilidade os pensamentos que circulam em torno dos campos de problemas — serão formados espaços para as idéias criadoras, impulsos intuitivos, inspirações. Mas também um comprovar e "respirar" internos penetram na resolução sossegada dos nossos pensamentos. Não devemos mais ver muita coisa assim tão "estreitamente" — precisamos reconhecer mais possibilidades para distinguirmos um problema. Da luz violeta dos anjos da ametista, recebemos "repentina" e intuitivamente uma solução, e vivenciamos com isso que existem situações e domínios que não são para ser dominados sozinhos, com o pensamento cobiçoso, analítico, causal. Muito mais está à nossa disposição: um potencial espiritual de sabedoria elevada, para ser alcançado por meio do soltar, do abandono, da volta à sabedoria divina e ao descanso interior.

Por um lado, nossos pensamentos são conduzidos, por intermédio dos anjos interiormente para a fonte de força divina. Com isso, eles nos orientam para a normalização, criam energia de tranqüilidade tanto para nosso mundo diário como também para a continuação do nosso desenvolvimento espiritual. Por outro lado, somos estimulados e inspirados no retorno a Deus, na tranqüilização dos nossos pensamentos de uma maneira muito nova. Na tranqüilidade, sofremos, repentina e inesperadamente, inspirações e mensagens de Deus que podem referir-se a um problema aflorado que nos preocupa, mas também podem relacionar-se com nossos outros desenvolvimentos ou tarefas que temos ainda de resolver. Com isso, o desenvolvimento da nossa capacidade de pensar intuitiva une-se àquilo de que precisamos, hoje mais do que nunca, para distinguir as dificuldades. Muito parcialmente, desenvolvemos nosso modo de pensar lógico-analítico, tecnicamente científico, promovendo-o e considerando-o como o desenvolvimento da consciência humana mais elevada; e com isso destruímos o equilíbrio da Natureza. Nós nos instruímos para a harmonização no reconhecimento de novas formas que, do plano elevado, penetram-nos interiormente através de inspirações. Pensamentos e descansos intuitivos para a tranqüilidade interna nos ajudam a entrar em contato com este potencial. Existem sempre mais homens que anseiam por alcançar esta situação espiritual, a fim de criar, a partir disso, força e idéias para a salvação da Terra e o seu crescimento espiritual. Os anjos da ametista polida em forma de círculo nos ajudam, justamente, a conseguir isso.

Ametista em forma de gota

Com uma ametista polida facetada em forma de gota vem até nós um anjo superior com uma aura em forma de gota, brilhando e irradiando no violeta da respectiva pedra, protegido pelos muitos anjos que sobrevêm através das facetas. Eles nos fazem tomar conhecimento das alegrias celestes e da paz — livres de sofrimento, repressão e sentimento de luta. Simplesmente, o espírito divino está presente em cada fibra do nosso coração, em cada aspiração, pensamento, palavra, que permite a nossa expressão — desse modo, cada um pode fazer isto da melhor maneira, a mais perfeita. Tudo na Criação é orientado para exprimir novamente todas as forças que estão à nossa disposição para a alegria de Deus, com a beleza completa para dar o melhor possível, diariamente, sem nos perguntarmos o que nos traz o amanhã. Só nós, homens, nos preocupamos com o amanhã, devido ao nosso medo da morte, o que vemos ainda como algo definitivo. Para a nossa capa física, isto ocorre, é verdade, mas não para a parte maior do nosso ser espiritual, incluindo nossa alma imortal. Se vemos somente o plano material da nossa existência na Terra — nosso corpo, com seus sentimentos e sua inteligência, e a Terra criada visivelmente com todos os seus diferentes aspectos, todo seu impulso, beleza e destruição, amor, fraqueza e humilhação etc. —, um medo de abandono deste planeta com nosso corpo carnal é compreensível. Os anjos da ametista em forma de gota nos reúnem com as partes imortais do nosso ser, em espírito e alma, e trazem esta vibração para nossa existência. Eles nos permitem, com isso, encontrar uma outra atitude para a nossa vida e a nossa morte. À morte terrena, com a qual nossa alma deixa o corpo carnal e a vida direta neste planeta, está unido um renascimento no plano espiritual; com isso, nós nos transportamos para um outro domínio de vibração. Nada junto à energia vai ser perdido — ela é somente convertida e transformada. Os anjos se importam com os acessos às nossas percepções da continuação de vida no domínio espiritual — até que, em geral, nos seja possível atingi-lo. Ao mesmo tempo, se aprendermos a penetrar na tranqüilidade interna, nós também — cada um à sua maneira, correspondendo a imagens, experiências, impressões e desenvolvimento da alma — entraremos em contato conscientemente com o mundo "do outro lado", o espiritual. A partir dessas experiências, transformam-se nossas atitudes na Terra e nossa postura diante da vida e morte, perante Deus e Sua criação. Assumimos, por um lado, a completa responsabilidade por todos os nossos pensamentos, sentimentos e relações; por outro, cedemos à conduta sábia, divina, que nos torna mais francos e objetivos, conscientemente acessíveis, através do olhar interno, à intuição e inspiração. Com isso, temos à nossa disposição uma fonte de energia consciente, por meio da qual nos deixamos fortalecer e conduzir com prazer para exprimirmos também, o melhor possível, o encômio e a prosperidade da Criação em todos os nossos atos.

Sabemos que somos diariamente alimentados pela força divina e, também, que depois do fim da nossa existência terrestre há uma outra vida em outro plano. Isto nos permite ainda sobrepujar o nosso medo do amanhã e da morte.

Se usarmos a ametista junto ao pescoço, ela nos permite encontrar, ao mesmo tempo, palavras para dar expressão às nossas experiências intuitivas e comunicar aos outros o conhecimento do mundo espiritual. Ela nos ajuda, também, a encontrar especialmente as palavras certas em uma oração, uma meditação, um voltar para o interior, e nos estimula a falarmos com Deus.

Homens que ensinam a "palavra de Deus", que dirigem meditações e atividades afins recebem ajuda; ao mesmo tempo, eles unem-se ao espírito de Deus, retendo inspiração para a orientação no caminho intuitivo para proferir as palavras com a energia de Deus.

Junto ao coração, a ametista traz especialmente a paz para o nosso mundo sentimental e conduz nossos sentimentos à confiança divina, onde vivenciam a realização e a libertação dos medos terrenos. As experiências em torno da forma da existência fora da nossa vida terrestre nos tornam aqui especialmente conscientes. Preocupações com o "sobreviver", o "amanhã", o medo da morte são resolvidas; podemos encontrar a paz no conhecimento da energia da Criação infinita, da bondade e essência de Deus.

Quando usamos a ametista como anel na mão, estamos, estreitamente em todas as nossas relações, unidos à essência de Deus. Levamos o espírito e a bênção de Deus para o mundo. Porque também por nosso intermédio atua a força de Deus — quando acreditamos em Sua orientação, de maneira perfeita.

Antigamente, os bispos usavam um anel de ametista no exercício do seu ofício. Aqui, podemos reconhecer os sábios contextos. Eles agiam e oravam a pedido de Deus.

Sugestão para uma meditação com os anjos usando uma água-marinha em forma de gota

Os anjos das pedras coloridas polidas facetadas nos alcançam por meio do chacra laríngeo. Eles estimulam as energias apropriadas ao nosso chacra cardíaco. Pois, ao mesmo tempo em que reagimos ao amor do anjo brilhante, enviado por Deus, com o nosso amor do coração, acontecem em nós dois aumentos de energia: o amor e a capacidade de amar, o sentir do amor completo, a vida com os seus lados de sombra e de luz positivos, — enfim o coração é intensificado por isso, o que nos abre mais e mais para o mundo dos anjos e nos oferece o conhecimento nos caminhos de Deus, que vão com a luz através da sombra. Ao mesmo tempo, alçam-se os anjos no nosso amor do coração, todo universal, para um nível de energia elevada, com a qual eles podem executar em nós uma união mística com o divino.

É válido sentar-se — sobre uma cadeira, um banco, almofada, banquinho de meditação ou em um assento sobre o chão. No aprumo calculado, sentimos nitidamente a aproximação dos anjos, sua entrada em nossa aura e como eles nos "envolvem" afetuosamente junto aos ombros. A pedra, que nos acompanha na meditação e nos leva à união com seus anjos, nós a colocamos dentro das nossas mãos, que juntamos como uma concha. Isto também tem uma causa especial: as nossas mãos tornam-se alguma coisa "robusta", consolidam, manifestam uma energia. Elas unem as forças de luz ativadas do nosso centro cardíaco, dos nossos centros de energia das mãos e da pedra, e produzem um potencial de energia duradouro que, durante a nossa meditação, brilha e está constantemente presente.

Dentre as muitas possibilidades para meditar com anjos e pedras preciosas, aqui está uma indicação com uma água-marinha polida facetada em forma de gota.

Sente-se junto a um lugar sossegado, de forma sincera, descansado e desligado do mundo ao redor. Se você quiser inspirar-se adicionalmente por intermédio das mensagens dos anjos contidas neste livro, leia ainda às páginas 85 e 88, quando os anjos vêm até nós por meio da água-marinha e, especialmente, da água-marinha em forma de gota.

Coloque a água-marinha em sua mão, na verdade, de modo que o arredondamento se mostre para o seu corpo e a parte pontiaguda para a ponta do dedo. Isto corresponde a um progresso de energia e ao padrão interno dentro de nós, fazendo com que você, junto à base (existência terrestre), seja extensamente envolvido e arredondado, e as forças se concentrem em um ponto junto à ponta (existência espiritual). O azul-claro maravilhosamente brilhante da sua água-marinha, que agora está em suas mãos como em uma concha protetora, fornecedora de tranqüilidade, vai como por si só induzindo as mudanças de luz das suas mãos, do seu coração e do seu chacra laríngeo, que reage especialmente de maneira intensa ao azul-claro, pois este é a causa da vibração do chacra laríngeo. Mas também os seus olhos acolhem este azul brilhante e o levam para dentro, quando você os fecha e se desprende com isso dos processos e coisas externas.

Feche os olhos e entre no seu mundo interior, que não está sujeito à limitação espaço-temporal do plano material denso, da Terra e do seu corpo físico. Com a "entrada para o interior", você se desloca nos seus espaços interiores, onde habitam as imagens da alma e os potenciais espirituais, e assiste à plenitude, facilidade e limites internos.

Em primeiro lugar, você se acompanha à fonte de luz da vida, mais elevada e mais pura, da energia da vida universal e da onipotência e amor divino, e pede bem consciente para estar na luz. Com isso você produz um contato consciente com Deus, seu Criador, no qual sua existência consciente se transforma e vai à luz com sua atenção.

Veja-se com seu "olho espiritual", com suas energias de manifestação e imaginação atravessadas e envolvidas pela luz pura, clara; você está em um ovo de luz, completamente cercado por um brilho dourado. Esta manifestação corresponde ao seu pedido para estar unido conscientemente à luz da vida. Proteja-se com o brilho dourado e se deixe conscientemente ser um só com a energia toda penetrante do amor divino. Esta existência consciente com Deus leva sua alma a freqüências de vibração elevadas e ativa o potencial de luz no seu corpo espiritual. Suas mãos chegarão às mãos abençoadas, iluminadas, curadoras, nesta luz que agora corre através de você. A água-marinha é tocada igualmente em suas mãos iluminadas, desliza por essa corrente de luz pura e é irradiada em seu brilho perfeito, tanto que ela é purificada e energizada. Por isso a sua força completa é ativada pela fonte divina e atua no mais extenso rio de energia.

Nestas vibrações elevadas de luz, eleve também sua alma e peça por você, com a linguagem do seu coração, aos anjos da água-marinha em forma de gota. Então você "vê" no Universo uma nuvem brilhante, azul-clara, muito distante. Dessa nuvem se desprende agora um anjo, grande e brilhante, azul-claro. Sua aura é como uma gota gigantesca. Com asas que se propagam amplamente, este anjo vem ao seu encontro seguido por um exército completamente formado por pequenos anjos azuis brilhantes.

Os anjos vão ao seu encontro e ficam cada vez mais próximos. O anjo maior, em forma de gota, toca suave, mas vigorosamente, os seus ombros, entrando em sua aura com todo o seu amor e colocando sua asa brilhante iluminada junto aos seus braços até às suas mãos iluminadas. Sua luminosidade e brilho se tornam um só — você é totalmente este azul-claro pulsante suavemente luminoso. Neste momento, abre-se uma porta da sua alma por onde muitos pequenos anjos ajudantes azul-claros entram e começam a "trabalhar".

Com seu azul-claro trazendo conforto, eles tocam todos os seus "pontos feridos" que pedem ajuda, o amor insatisfeito, a ferida de desejos saudosos etc. Eles distribuem ao amor completo muitas e muitas gotas "do bálsamo da alma", levando você, assim, à união com suas energias divinas de autocura, com as quais a harmonia e a paz penetram no seu desequilíbrio moral. Um sentimento de bem-estar o atravessa: você está livre de cada pressão e obrigação, e tem a sensação de estar em um mar banhado pelo sol azul de luz, trazido pelas energias de luz do anjos. Eles o embalam suave e afetuosamente com suas asas luminosas neste banho de luz azul-claro. Tudo em você e ao seu redor está harmonizado, em paz, leve e livre, solucionado e sereno.

Permaneça nesta situação maravilhosamente salutar, que é o bálsamo para a sua alma, e sinta o agradecimento e o amor infinitos que ascendem em seu coração — para o milagre da vida e do amor divino, que estão aí incondicionalmente, a cada momento, também dentro de você. Neste amor, o seu coração se abre em uma luz dourada. Os anjos entram e cobrem o ouro com seu azul luminoso. Assim, Deus o abençoa com sua energia salvadora que pode curar cada dor da alma. Um sentimento de ventura aparece em você. Tudo em você está satisfeito. Comece a terminar esta meditação, ao mesmo tempo em que você "vê" seu coração dourado, brilhando. Os anjos se afastam devagar, o anjo maior ainda envolve afetuosamente seus ombros antes de desprender sua asa azul brilhante de você; ele paira fora com seu exército de ajudantes luminosos e, finalmente, todos passam por cima da nuvem azul de luz.

Você agradece aos anjos pela sua proteção com seu coração afetuoso; você se "vê" na luz — um ovo de luz com limitação dourada — e agradece à onipotência divina por seu amor, cura e proteção. Veja também suas mãos iluminadas perante o seu olho espiritual e deixe a gota de água-marinha brilhar nesta luz de amor divino. Deixe-a brilhar e irradiar em seu brilho completo, pois que ela está purificada pelas energias que tocou em você com sua irradiação. Você deixa seu coração falar com ela e agradecer-lhe pela energia com a qual ela o satisfez, levando-o à união com os anjos.

Você se prepara para o seu retorno ao "exterior", respirando profunda e conscientemente, movimentando suavemente seu corpo e abrindo seus olhos.

CENTRO DE ENERGIA DAS MÃOS

ANJOS DAS PEDRAS POLIDAS NÃO-FACETADAS

Com isto nós deixamos o plano do chacra laríngeo, através do qual os anjos das pedras preciosas completamente luminosas, polidas facetadas, chegam até nós em união com a vibração do chacra cardíaco. De cada pedra descrita existem construções que não são polidas facetadas, porque elas não são tão puras, brilhantes e transparentes, mas, sim, pouco transparentes, leitosas e até opacas. Elas são polidas em formato cabochão, assim denominado por apresentar superfície abaulada. Também estão unidas a elas energias de anjos; na verdade, aquelas energias que se elevaram em direção aos anjos como seres espirituais do reino mineral ou vegetal. É sua passagem para a existência dos anjos, por assim dizer sua primeira encarnação como anjo. Eles trazem consigo, ainda nitidamente, vibrações recebidas na Terra, com as quais eles podem ajudar-nos a reconhecer as energias espirituais, e ensinar-nos a utilizá-las para o domínio completamente "vigoroso" da existência terrestre, que eles mesmos conhecem muito bem das anteriores encarnações materiais, onde tiveram de cuidar do crescimento do reino mineral e/ou vegetal. Eles conhecem, então, não somente as necessidades do mundo material, como também as condições espirituais. No polimento cabochão existem, ainda, formas diferentes, tais como oval, retangular, redonda, e em forma de gota. Por intermédio dessas formas vêm até nós os anjos com outra qualidade de energia, embora eles sejam competentes para os mesmos "domínios" de tarefas desempenhadas pelos anjos das pedras polidas facetadas. Mas eles não têm à sua disposição um exército de anjos ajudantes — pois não têm facetas, mas, sim, uma forma polida com irradiações não tão diferenciadas. Seu campo de energia, com o qual atraem e emitem suas forças, é global, envolvedor, e não tão claramente brilhante e apontado para o alvo. Dessa maneira, podemos esperar uma reação atenuada em comparação à provocada pelos polimentos em facetas, já descritos, das pedras preciosas isoladas. Por isso, precisamos dedicar-nos ao polimento como cabochão dessas pedras não- distintas. Elas correspondem, em sua forma, a cada formato do polimento em facetas e atuam, a partir daí, sobre o plano correspondente de uma pedra — mas, essencialmente, mais atenuado e alojado na Terra, chegando, não por intermédio do chacra laríngeo, mas, sim, por meio dos centros de energia das nossas mãos.

Mas, dedicar-nos-emos ainda a algumas pedras que, mesmo não sendo da espécie de pedras até aqui tratada, por não terem irradiação alguma tão brilhante, transparente, nem serem polidas facetadas, irradiam em luz mortiça, suave, por intermédio do polimento como cabochão. De relevante significado são os quartzos de turmalina, de rubi e quartzo róseo, cujos anjos nos tocam e nos satisfazem especialmente por intermédio de nossa mão direita. Mas há também o jade, calcedônia e a pedra-da-lua, que vêm até nós com sua luz suave por intermédio da mão esquerda. Porque atuam através dos nossos centros de energia das mãos, absorvem fortes influências de todas as nossas ações que se mostram no mundo externo, assim como no pensamento, no domínio sensível e ativamente relacionado.

QUARTZO DE TURMALINA

Anjos da luz e da sombra

Por intermédio do quartzo de turmalina vêm até nós os anjos que nos ajudam a tratar do domínio inconsciente e da sombra da energia colocada em nosso ser — seja por tê-los deslocado, por não admiti-los ou não desejar entrar em conflito com eles, pois este nosso sentir de harmonia pode perturbar desagradavelmente, ou por não estarmos ainda maduros o suficiente para vê-los na luz. Esses são os "anjos da luz e da sombra", que nos envolvem na luz e nos permitem conhecer, sob sua proteção, os lados de sombra da vida, assim como da nossa alma, e os contextos entre os dois — tal como na pedra, as agulhas de turmalina preta do cristal de rocha claro também estão cercadas. Ela é uma pedra prestimosa na terapia de vidas passadas, na qual chegamos, sob sua orientação, às energias das situações de existências anteriores da nossa alma que se manifestam também na nossa vida atual (mesmo que sutilmente), em nossos comportamentos, doenças, pensamentos, sentimentos, profissão, relações, atitudes, esperanças etc. Finalmente, tudo nos é desvendado pelas experiências da consciência da alma, da qual tanto potenciais agravantes como protetores chegam à vida terrestre atual e se manifestam renovados; na verdade, são aqueles de que a alma precisa para continuar a se desenvolver na encarnação atual.

Com os anjos do quartzo de turmalina, podemos concluir que já estamos cercados pela luz, mesmo que nos sintamos ainda muito distantes dela. Na terapia de vidas passadas, presenciei freqüentemente, assim como na minha própria terapia e formação como também no trabalho com outros, que a alma nos entrega uma luz, um fio de luz, um condutor de luz no nosso caminho para a escuridão, para a parte separada do nosso ser — aquela que nos dá medo, que ameaça nos absorver, na qual parecemos estar caindo indefinidamente. Com um fio de luz, por exemplo, já estamos unidos à luz da alma e podemos regressar, por intermédio dele, rapidamente à luz, quando o medo se torna muito grande e os bloqueios, imponentes.

Os "anjos da luz e da sombra" do quartzo de turmalina nos permitem dominar o nosso medo da inconsciência e repressão por meio do envoltório de luz.

Quartzo de turmalina oval

Com um cabochão do quartzo de turmalina polido em forma oval vem até nós um anjo com aura oval. Seu corpo de luz claro está fortificado com barras escuras — correspondendo à disposição das agulhas de turmalina preta no cristal de rocha claro, puro. Ele nos ajuda a querer curar as dores do nosso corpo não de maneira simples — por exemplo, com o auxílio de remédios ou intervenção cirúrgica, mas, sim, buscando vê-las no contexto da nossa repressão, com as estruturas estampadas nos "antecedentes". Tais estruturas nos motivam a trabalhar junto aos nossos "lados de sombra", a fim de conhecê-las e tratá-las conscientemente, para que com isso descarreguem nosso corpo. Quando descobrimos nosso padrão e potencial energético, ao mesmo tempo nos saciamos de energia junto à luz e ficamos prontos para nos arranjarmos com ela; tornamo-nos livres dos bloqueios energéticos que se referem também ao rio de energia do nosso corpo, o qual não mais prejudicam. Isto ativa, por muito tempo, um processo de autocura abrangedor.

Quartzo de turmalina retangular

Por intermédio de um quartzo de turmalina retangular polido como cabochão, chegamos à união com um anjo que nos mostra os efeitos dos nossos "lados de sombra" na vida diária — profissão, família, lar etc. Nossa repressão estampada confirma também, pelas energias espirituais da alma, como nos relacionamos e nos aproximamos de colegas, indivíduos que estão acima ou abaixo de nós, companheiros, nossas crianças, parentes, vizinhos, amigos, como aparentam e são cuidados nosso apartamento, casa, jardim, carro etc. O anjo do quartzo de turmalina aparece com aura extensa na luz clara, perfurado por barras pretas, que podem ser alinhadas em uma só direção, mas também em forma de cruz e paralelamente. Como mundo material, não consideramos apenas o lado financeiro da vida, mas tudo que nos cerca com um corpo material, ou seja, visível externamente — homens e objetos. Relacionamo-nos com este mundo e o modelamos por meio das nossas manifestações, pensamentos, sentimentos, relações, atitudes etc. Por intermédio desses anjos, podemos concluir que damos forma ao nosso mundo por meio de todas as nossas ações — seja no plano mental, sentimental ou material —, e reconhecemos os contextos de luz protetora entre nossas energias e as reações do nosso mundo, que são, para nós, somente espelhos.

Quartzo de turmalina redondo

Um quartzo de turmalina redondo polido como cabochão está unido ao anjo com aura clara em forma de círculo, que é atravessado por uma agulha escura. Esse tipo de anjo toca, com sua energia, nossos pensamentos e padrões de pensamentos que não admitimos, que procuramos reprimir com maior ou menor dispêndio de energia, porque eles não nos agradam ou nos causam medo. Na luz, na claridade e pureza do nosso espírito, podemos percebê-los e, também, aprender a nos relacionar conscientemente com eles, ao mesmo tempo em que os admitimos e não os separamos de nós por muito tempo. A ordenação de nossas idéias se modificam por causa disso. Elas se voltam por um lado, para o "desagradável" solícito e, por outro, param de condenar-nos ou defender-nos. Quando estamos em harmonia com homens e coisas, nós os integramos à nossa contemplação (de vida) e não precisamos preocupar-nos mais com ou como nós poderíamos ocultar, "encobrir" ou amenizar isto, para que outros não percebessem nada. Com isso paramos de simular alguma coisa aos outros e também a nós mesmos. A energia que assim utilizávamos, até então, fica à nossa disposição para chegarmos à pureza através de nós mesmos e aprendermos os pensamentos límpidos.

Quartzo de turmalina em forma de gota

Ainda que muito raro, existe ainda o quartzo de turmalina em forma de gota polido como cabochão, como produção especial. Seu anjo penetra, com sua aura de luz em forma de gota, rompida por barras pretas, a nossa alma e nos permite contemplar, honestamente, nossos sentimentos ensombreados, assim como os lados ensombreados do nosso ser. Com sua energia, aprendemos a nos relacionar elucidativamente — ou seja, afetuosa e conscientemente — com os sentimentos, com os quais nos negamos ou, também, a outras pessoas. Com isso, cresce o nosso conhecimento de que tudo tem seu sentido e, também, que "as profundezas mais impenetráveis" estão cercadas pelo amor divino e contribuem para o nosso crescimento interno, espiritual. Assim, chegamos progressivamente a uma atitude de vida extensa, executada na totalidade, que nos ajuda a perceber os nossos comportamentos discernentes. Estamos, por conseguinte, no campo para ver a vida sem "os óculos preto e branco", e podemos dar forma à nossa existência livres de normas e obrigações. Isto não significa que passaremos a agir com desconsideração, mas, ao contrário, que nos tornamos conscientes da nossa responsabilidade para com a conservação e a continuação do desenvolvimento da vida, e pautamos todos os nossos atos observando esses aspectos.

Se usarmos o quartzo de turmalina junto ao pescoço, aprenderemos a nos manifestar claramente, com palavras, o que se passa diante de nós, o que pensamos, esperamos e queremos — sem simular coisa alguma. Os lados de sombra podem também tornar-se conscientes por meio das palavras. Isto contribui para que eles cheguem "junto ao dia", "junto à luz", exigindo então menos da nossa energia, porque não precisamos mais reprimi-los.

Quando usamos um quartzo de turmalina junto ao coração, somos equilibrados, tanto que suportamos também os nossos lados de sombra e não precisamos combatê-los ou reprimi-los. Pode ser sentido, em nós, algo forte o suficiente para contemplá-los conscientemente sem ter o mesmo sentimento — sem, com isso, desprezá-los ou negá-los.

Usado como anel, o quartzo de turmalina atua como aliado da maior necessidade. Unimo-nos intimamente a ele por meio do anel, e ele está então no lugar mais próximo, de onde o anjo do quartzo de turmalina pode chegar até nós, através da mão direita. Segundo as possibilidades, devemos então usar um anel de quartzo de turmalina na mão direita. Assim, nós nos apresentamos à polaridade da luz e encontramos, a partir desta polaridade, uma saída, aberta para dois lados: pela turmalina, que nos mostra sempre a saída de uma situação, mesmo onde não encontramos mais saída — pois com ela está unida a energia dos "anjos da saída" —, e por intermédio do cristal de rocha, que traz consigo a luz pura da vida e, também, o "Cristo, acima de tudo", como o seu próprio nome nos diz.

QUARTZO DE RUTÍLIO

Os anjos da luz dourada

Com o quartzo de rutílio polido como cabochão vêm até nós "os anjos da luz dourada". Os finos fios dourados do titânio (um metal), também denominados cabelos-de-vênus, estão contidos no cristal rochoso e permitem-lhe chegar a algo muito especial. A luz dourada cobre a aura clara e brilhante dos anjos do quartzo de rutílio, correspondendo ao alinhamento dos fios dourados na pedra. Esses anjos trazem até nós a luz dourada do Deus Pai harmonizando tudo, protegendo tudo por intermédio do cristal — "Cristo, acima de tudo", o Filho de Deus. Com sua energia de luz brilhante, eles trazem harmonia, conforto e beleza ao nosso ser — tudo se movimenta de repente nessa harmonia, porque tudo é atingido por esse raio de luz e de amor que é mais forte do que todas as outras coisas. As próprias células em nosso corpo carnal se orientam por essa vibração, mesmo se anteriormente elas se encontravam em movimento contrário, desarmonizado, e por causa disso estavam doentes. Uma grande graça nos cobre e nos voltamos intensamente com coragem satisfeita à vida vibrante, que nos conduz para fora da escuridão, da melancolia, medo, depressão e doença. Ao mesmo tempo, vem até nós, com a luz dourada, uma proteção extensa que se torna útil no plano espiritual. Isto é mais importante ainda quando nossa alma está desperta para a luz e se dirige conscientemente do exterior para o interior, por intermédio de orações e meditações ou como canal de cura. Com isso, nossa alma se dirige ao mundo espiritual, onde não existem somente seres espirituais elucidativos, mas também energias ensombrecidas. A luz dourada nos protege da aproximação e ataque das energias ensombrecidas que são produzidas por meio de pensamentos "negativos", agravantes, cheios de medo e, também, por nosso próprio intermédio.

Quartzo de rutílio oval

Com o quartzo de rutílio polido em forma de cabochão oval vem até nós um anjo que, com sua aura brilhante na luz clara e pura oscilante pelo raio de luz dourado, toca nosso corpo com sua luz. A forma da sua aura, que também corresponde a essa forma oval, funde-se com nosso corpo. Assim se desenvolve uma camada de luz dourada em nossa aura, que atua sobre nosso corpo carnal, mas também modifica a nossa expressão, tanto que atuamos sobre os outros de forma mais brilhante, irradiante, afetuosa e equilibrada.

Pois o que vai à nossa frente é, mais ou menos, a vibração densa na nossa aura, que passa para a nossa intimidade, consciente ou inconscientemente, como informação e energia, tudo aquilo que encontra. A intensidade dessa troca energética depende da força e do domínio da irradiação dentro de nós e, também, de como nos abrimos ou nos fechamos em algum ambiente, por exemplo, ao encontrarmos um homem — considerando a que distância esse homem se abre para nós, permite um contato e recebe energia. Os anjos do quartzo de rutílio oval nos protegem, por um lado, de abusos desagradáveis do nosso meio ambiente; por outro, produzem uma atmosfera agradável, na qual um encontro harmonioso pode realizar-se. Eles cuidam para que o nosso corpo descanse e se sinta bem, e ensinam as nossas células a viver de forma saudável e em harmonia, por meio de sua dominante vibração harmoniosa.

Quartzo de rutílio retangular

Por intermédio do quartzo de rutílio retangular polido estamos unidos a um anjo de aura extensa — correspondendo à forma da pedra, que nos cerca com essa luz clara atravessada de dourado. Ele atua harmoniosamente sobre nossa intimidade e atividade. Toda a sua energia de que precisamos para a realização do nosso dia-a-dia é especialmente carregada — somos equipados por uma autoproteção segura. Aprendemos como podemos definir-nos perante os outros, sem rejeitá-los de modo agressivo, brusco ou, até mesmo, desagradável, o que poderia feri-los.

As atividades no nosso dia-a-dia — seja na vida profissional ou, familiar, nas diferentes relações, nos encontros com outras pessoas, seja nas situações de ensino, aprendizado ou o que exigir nossa atenção e força — são envolvidas por uma vibração afetuosa, considerada harmoniosa pelos outros. Com isso, nossa vida se torna equilibrada e mais leve, e aparece freqüentemente o sentimento de que tudo "não nos custa nada", que estamos sob o lado do sol da vida. Muita coisa dá bom resultado para nós e nos saímos bem em tranqüila autoconfiança.

Quartzo de rutílio redondo

O quartzo de rutílio polido em forma redonda nos permite estar junto a um anjo com aura em forma de círculo, na clara luz dourada fluida. Ele nos ajuda a harmonizar nosso mundo de pensamentos, inspirando-nos bons pensamentos e idéias, protegendo nosso pensar e a existência alcançada na simplicidade com a luz divina e o amor de Deus. Protege-nos, também, de pensamentos destruidores dessa unidade — tanto dos nossos como daqueles que ainda virão. Nosso pensamento e modo de pensar retêm, com a luz dourada do anjo, o novo impulso e posições objetivas, a fim de nos acertarmos com Deus, reconhecê-Lo em tudo, saudá-Lo com a luz e compreendê-Lo em nosso pensamento e desejo. Devemos, com isso, compartilhar das vibrações de graça do amor divino, que penetra nosso espírito e atua, equilibradamente, sobre os pensamentos agravantes que se baseiam em estruturas como ódio, inveja, repressão, exploração etc. Recebemos, por causa disso, uma proteção maravilhosa, elucidativa, a fim de orientarmos nossos pensamentos para a vontade divina, ao mesmo tempo em que podemos vivenciar como é estar em unidade com Deus, pensando e nos relacionando a partir desta unidade.

Quartzo de rutílio em forma de gota

O quartzo de rutílio é raramente polido em forma de gota — na maioria das vezes, isso ocorre como produção especial. Seu anjo vem até nós, com a aura em forma de gota, na luz clara, pura, coberta por dourado. Ele satisfaz a ansiedade e a aspiração da nossa alma em busca da harmonia, ao mesmo tempo em que toca a nossa alma. A luz da alma é coberta com dourado e, por causa disso, chega por vezes a um grande potencial de luz e amor divino. Aqui, a alma é protegida contra todos os ataques, tentativas e desvios. A alegria, serenidade e calma irradiam por intermédio dessas ilhas de luz, tranqüilas em si mesmas, e atuam não somente sobre nosso próprio mundo sentimental, como também sobre outros. Aqueles que nos são próximos sentem-se então como pólos tranqüilizantes. Podemos ainda comunicar-lhes que é possível, também nos tempos atuais, rapidamente vividos, subsistir em harmonia vigorosa.

O anjo nos instrui e nos solicita, de forma harmonizada, vivermos conciliatoriamente e atuarmos sobre os outros.

Se usarmos o quartzo de rutílio junto ao pescoço, nossos pensamentos e palavras serão satisfeitos com harmonia, nossa voz soará harmoniosamente e atuará agradável e tranqüilamente. As áreas do peito, pescoço, o trajeto da respiração, a tireóide, a vértebra cervical, os ombros — todos retêm uma proteção especialmente harmonizadora e ativadora das energias de autocura. Se existe uma perturbação nesses domínios, a luz clara, dourada, desliza para as células e consegue juntá-las, então, promovendo o descarrego e a cura, por intermédio da vibração que é trazida. Daí as células apreendem, outra vez, uma vibração harmoniosa, tornando-se com isso saudáveis.

Usado junto ao coração, o quartzo de rutílio faz deslizar a luz dourada para o nosso mundo sentimental tornando-o progressivamente mais vivo, pois uma energia equilibrante toca os campos de tensão. Nosso coração também retém proteção, participando das vibrações calmantes, trazedoras de cura.

Usado como anel na mão, o quartzo de rutílio nos une especialmente à harmonia divina. Todas as nossas relações são, por isso, favoravelmente influenciadas. Uma irradiação luminosa, alegre, confiante, sai de nós, atua sobre outros e nos faz experimentar um sentimento de existência abençoado.

QUARTZO RÓSEO

O anjo da suavidade

Por intermédio do quartzo róseo polido como cabochão entramos em contato com "os anjos da suavidade", os quais nos permitem verificar que força intensa existe na suavidade. Com isso, eles levam a florescer nossa espiritualidade, abrindo-nos sempre novas dimensões do mundo espiritual e das substancialidades corporais, afetuosas — assim como uma flor se abre à luz do sol e mostra mais e mais a sua beleza, que no início estava escondida no botão. O anjo do quartzo róseo nos ensina, ao mesmo tempo, a ter paciência para o aproveitamento do nosso saber; ensina-nos que é necessário um processo de amadurecimento para a completa manifestação da energia e que tudo acontece no tempo certo. Energias forçadas não têm sentido nesse processo. Nossa suavidade é muito mais tocada e levada à expressão. Podemos vivenciar, com ele, o crescimento constante e, também, "passos longos" e um grande salto no desenvolvimento da energia reunida.

Quartzo róseo oval

Por intermédio do quartzo róseo meio transparente polido oval vem até nós um anjo com aura oval, que brilha em tons de rosa muito suave e densamente nublado até tornar-se quase transparente — conforme a espécie da pedra. A forma oval de sua aura atua especialmente na nossa aura, que é igualmente oval, construindo nela uma vibração rosa de completa suavidade. Com isso, aprendemos a encontrar nossos processos físicos com suavidade afetuosa e os processos de pureza, que demoram muito tempo para ocorrer, com paciência e direcionados pela sabedoria. Se realmente quisermos sanar uma doença, isto não vai requerer somente a cura no plano físico, mas, também, no plano da alma e do espírito. Padrões e estruturas dos nossos pensamentos e sentimentos atuam também sobre nosso corpo. Agravantes tolhem, por muito tempo, a sabedoria, alívios à saúde, bem-estar e uma vida satisfatória. O quartzo róseo oval nos permite contatar, ao mesmo tempo, com nossas energias espirituais, por meio das quais podemos promover a ativação e o uso crescente da cura da alma, e reter proteção tanto do plano terrestre futuro — por intermédio de "curadores da alma", médiuns, "mestres", professores, que nos orientam a fim de despertarmos nossas energias e nossos potenciais interiores, espirituais — quanto de ajudantes do plano espiritual, por meio de "condutores de espíritos", outras espécies de seres espirituais, anjos e do próprio Cristo. Podemos perceber como esses ajudantes vêm até nós quando aprendemos a nos "dirigir" a eles. Podemos contar com sua ajuda para restabelecermos totalmente as energias espirituais — junto ao corpo, à alma e ao espírito. Quanto antes percebermos isto no nosso corpo — isto é, quando um sucesso de cura nos penetra, já que o notamos mais nitidamente —, suas reações nos tornarão mais confiantes. Muito mais cedo — mas, para o ainda não-sensibilizado, por um tempo quase sofrível — as estruturas se transformam no plano da alma e do espírito. Percebemos sua conseqüência "mais densa" na mudança dos nossos sentimentos e pensamentos. No processo físico de cura o anjo do quartzo róseo atrai, de qualquer maneira, as energias espirituais, que ao mesmo tempo, cuidam do nosso crescimento espiritual. Tais energias, que foram por nós solicitadas, por intermédio da experiência física da cura, às forças espirituais, tornam-se acessíveis a nós, trazendo-nos forças de cura relaxantes e propícias ao caminho de desenvolvimento espiritual. Reconhecemos, então, que nossa doença teve um sentido relevante, o que nos permite distinguir nosso caminho espiritual ou, quando já o trilhamos, nos faz avançar sobre esse caminho. O anjo do quartzo róseo nos ajuda não a "querermos" algo, mas, sim, a energia que vem até nós do amor divino para aprendermos a aceitar e a aproveitar. Pois também, com relação aos acontecimentos com nosso corpo, não chegamos voluntariamente muito longe com nosso desejo. Dedicação, o escutar (da nossa voz interior), a observação dos processos sutis em nós, assim como o emprego constante da experimentação, até que a energia agravante seja em nós equilibrada sob todos os plenos aspectos —, isso tudo é necessário para alcançarmos uma cura duradoura. Não podemos esperar que a ajuda resulte de um único pedido, meditação, procura de curador, professor ou terapeuta espirituais, ou qualquer outra "coisa" vaga. Quando pensamos em quanto tempo desprendemos para construir um padrão de comportamento ou pensamento, um potencial de energia gerador de doenças, reconhecemos que isto necessita de grande doação e "energia de resultado" para nos levar a sobrepujar esses potenciais. Com isso, é garantido e ao mesmo tempo consolidado que se pode desenvolver um padrão de comportamento válido e consolador para nós.

Quartzo róseo retangular

Com um quartzo róseo retangular polido como cabochão unimo-nos a um anjo com aura extensa, de cor rosa. Ele traz a suavidade para a nossa vida diária, em todas as situações — em família, amizade, forma-ção e exercício profissional, e naquelas que nascem em contexto com nosso apartamento ou casa, vizinhos etc. Aprendemos que também na suavidade existe uma força de imposição que outros avaliam por causa da própria suavidade, compreensão, paciência, resistência e sutileza. Aqui o anjo do quartzo róseo nos abre as portas, nivelando os caminhos a fim de resolvermos as situações para as quais não conseguimos nada com o "conhecimento elevado". Ele nos concentra, aqui, junto à nossa espi-ritualidade ou a fortalece; ao mesmo tempo, ele também recebe, com os acontecimentos do nosso dia-a-dia, uma força espiritual e a ajuda de outros seres espirituais. Com ele, já pensamos em solicitar proteção a um ajudante espiritual, seja trabalhando no jardim, dirigindo um carro, sentando junto à mesa de café ou estando no escritório. O que sempre fazemos também é digno de ser voltado internamente ao mundo espiri-tual e incluído nos atos e agradecimentos ao anjo pela sua ação pres-timosa.

Quartzo róseo redondo

O quartzo róseo redondo polido como cabochão permite unir-nos a um anjo com aura em forma de círculo em brilho rosa suave. A forma da sua aura toca nossa aura na cabeça e influencia nosso mundo de pensamentos. Por causa disso nossos pensamentos são direcionados para a suavidade, mas também instruídos com capacidade, para chamar as forças espirituais por meio dos pensamentos, para atraí-las por inter-médio das forças do pensamento que enviamos conscientemente. Aqui também percebemos que progredimos com a suavidade, sem entorpecer no nosso crescimento espiritual. Para nós, é devagar e de forma consci-entemente contínua que os pensamentos nos trazem a energia que pode-mos utilizar para os contatos com o mundo espiritual. Este mundo reage de forma correspondente com relação a essa doação contínua e ao reco-nhecimento, com isso ocorrendo por aí, da sua existência e dos seus "serviços", permitindo-nos perceber crescentemente que a energia está "aí" e à nossa disposição.

Quartzo róseo em forma de gota

As gotas do quartzo róseo nos tocam com anjos que nos ajudam a admitir o nosso sentimento suave. Como uma gota frágil, o anjo de um quartzo róseo polido em forma de gota cai, com sua aura formada da mesma forma em rosa, com essa pedra em nossa alma. Ao mesmo tempo, experimentamos a beleza do frágil e do suave em nossa alma, sentimento ao qual ela reage com muita sinceridade e simpatia. Como uma chave, o anjo do quartzo róseo em forma de gota atua na alma espiritual que se manifesta em nós em sua beleza. Alegrias unidas ao dar e receber, o direcionamento para "o bom", o poder de desprender condições emocionais — tudo isso se eleva acima da nossa alma, abrindo-se, manifestando-se e tornando-se sensível e visível sob a instrução do anjo. Nossos pensamentos se deslocam, voltam-se para a beleza da Criação, da sabedoria completa, e se deleitam com isso. Nosso comportamento manifesta esta experiência; ao mesmo tempo, podemos abrir-nos e, com isso, tornarmo-nos livres perante nós mesmos e nosso meio. Não precisamos mais fechar-nos de medo perante os outros. Não poderemos mais ser afetados na nossa essência frágil. Ao sentirmos a força que é encontrada e atua na suavidade, ou ao admitirmos esta força e, com isso, experimentarmos mais e mais — em nós mesmos e ao nosso redor.

Se usarmos o quartzo róseo junto ao pescoço, a nossa voz se tornará suave e nos esforçaremos para agarrar a beleza nas palavras e falar da sua fragilidade. Podemos vivenciar que o "concludente" desaparece do nosso peito e nos sentimos livres e ainda salvos.

Usado junto ao coração, nossa alma e esse órgão físico serão tocados especialmente pelo quartzo róseo e, com isso, protegidos a fim de se abrirem com a força e a beleza da suavidade. Os espasmos e incômodos resultantes disso para nosso coração carnal diminuem progressivamente, assim como a amargura e a impaciência no domínio do sentimento.

Usado como anel, o quartzo róseo nos permite ser um só com os seres do mundo espiritual. Por intermédio da nossa mão a vibração do anjo do quartzo róseo recebe uma irradiação densa e ativa, quando descobrimos que podemos agir com suavidade sem sermos explorados, enganados, ou nos omitirmos. Na suavidade há também uma força destinadora, que se une com nossa capacidade de dedicação e garante, com isso, que outros possam fazer conosco, não de maneira geral, o que eles quiserem.

JADE

Os anjos do amor acima de tudo

Embora o jade apareça em muitas cores — branca, amarela, verde, rosa, marrom, violeta e até preta —, pensamos sempre no jade verde desejado, que pode ser meio transparente até transparente. Quase verde-esmeralda, ele atua mais suavemente, com um brilho seguro, encantador, como a esmeralda claramente brilhante, penetrando em tudo. O efeito do jade verde, com relação ao tema que aqui tratamos, é parecido com o da esmeralda e, ao mesmo tempo, muito diferente. Com o jade verde polido como cabochão vem até nós "o anjo do amor acima de tudo". Sua forma, corresponde ao formato da pedra, e ele nos toca com todo seu amor por nosso corpo e por nossa encarnação aqui na Terra, despertando nosso amor por nosso meio e a existência material, nosso mundo sentimental e de pensamento, nossos pensamentos e sentimentos. Com isso, reconhecemos que os anjos do jade ativam nosso amor por alguma coisa e nos permitem tudo descobrir e vivenciar com todo amor divino. Eles abrem nosso sentido para a beleza do amor divino, que vem ao nosso encontro de qualquer parte quando nos voltamos sensibilizados para ele.

Jade oval

Se o jade for polido em forma oval como cabochão, ele estará unido a um anjo com aura verde suave brilhante em forma oval. Ele atua sobre a nossa aura e permite nascer, por intermédio de seu verde maravilhoso, o amor por nosso corpo. Na maioria das vezes, somente pensamos no nosso corpo quando ele está com dores ou chama nossa atenção com doenças, quando está deficiente de sintomas ou apresenta idade avançada. Ao mesmo tempo, nossas reações estão cheias de medo e bloqueadas, o que contribui para um outro agravamento. Ao nos sentirmos tão desamparados, procuramos rapidamente ajuda exterior — por intermédio do médico, terapeuta, praticantes de cura etc. — e não sentimos mais, ou não queremos mais, estar em condições de ajudar a nós mesmos. Isto indica que perdemos o contato interno com nosso corpo, que não estamos em situação de nos responsabilizarmos por ele. Antes, pelo contrário, nós o entregamos a um "especialista" com a esperança de colocá-lo outra vez em ordem — como um carro, que se deixa em uma oficina. Isto não quer dizer que não precisemos, de jeito algum, de uma assistência médica, mas, sim, que estamos pouco unidos ao nosso corpo, que caímos em pânico quando ele não trabalha mais como de costume e esperamos uma recuperação imediata e o remédio por meio de intervenção cirúrgica externa, em vez de aprendermos a ouvir nosso corpo, o que ele nos quer comunicar com a dor ou o sentimento. O corpo fez conosco a experiência de que reagimos às suas dores: então, primeiro percebemos, com suas limitações, que não podemos simplesmente ignorá-lo para, por exemplo, realizar planos ambiciosos. Não o observamos quando ele "funciona", ou observamos exageradamente e cheios de medo quando colocamos os olhos em um "ideal de beleza". O anjo do jade nos permite manifestar o amor por nosso corpo, o que o ativa de maneira nova, fazendo nele correr o "elixir da vida". Aprendemos a nos voltar afetuosamente para as partes do nosso corpo — membros, órgãos e células —, a tocá-las com nosso amor e a comunicar-lhes, com isso, que as aceitamos e nos sentimos responsáveis por sua prosperidade. Por meio do treinamento autógeno, por exemplo, um amplo método de descanso, divulgado e reconhecido pelo círculo médico, podemos aprender a nos relacionar com nosso corpo afetuosamente, pois com esse sistema nossa atenção interna é sensibilizada para o nosso corpo — braços, pernas, plexo solar, respiração, coração, cabeça etc. são satisfeitos, por meio de auto-sugestão, com sossego interno e calor agradável (na cabeça, um frescor agradável). É mais fácil permitir entrar e, então, associar ao pensamento de sossego e de calor (ou, ainda, de frescor) um sentimento de amor para o domínio do corpo cada mais deleitado. Esse exercícios — tais como treinamento autógeno, treinamento alfa e outros métodos próprios para o descanso além de *jogging*, yoga, tai chi chuan, assim como todos os exercícios com os quais aprendemos a considerar nosso corpo, a proteger o seu correr e a sua mobilidade, a conhecer e a considerar sua limitação e seus bloqueios individuais — são muito protegidos pela vibração do jade polido oval e seus anjos, que nos ensinam o amor por nosso corpo, retendo-o com isso, alegre e vitalmente, na beleza saudável. Durante o descanso devemos colocar o jade sobre nossa testa, coração, sob a cabeça (eventualmente, sob o travesseiro) ou pegá-lo na mão.

132

Jade retangular

O jade que é polido em forma de cabochão retangular nos une a um anjo que aparece com aura extensa no verde suavemente brilhante da pedra. Ele nos permite encontrar sentido, alegria e sabedoria como expressões do amor divino, e nos deixa moldar com isso nossa vida diária. Podemos satisfazer-nos com isso, sentir-nos reconhecidos e aceitos, trazidos por um sentimento de energia vital que não goza muito da força exuberante, impossível, mas, sim, age mais rapidamente com a observação e o sentido da beleza. Esse anjo do jade nos dá, com sua irradiação, uma energia amigavelmente humana, afetuosamente voltada para a vida, com a qual podemos aprender a encontrar o prazer na vida e o sentido na vida espiritual, individual, integrando-os em nosso dia-a-dia. Isto nos traz muitos amigos, alegrias e reconhecimentos, que correspondem à atenção e estima com as quais nos encontramos no nosso mundo.

Jade redondo

Se nos voltarmos para o jade redondo polido como cabochão, estaremos junto de um anjo com aura em forma de círculo, em verde luminoso e ainda suavemente brilhante. Ele satisfaz nossa aura e, por meio dela, nosso corpo espiritual com sua energia. Paz agradável e frescor penetram no nosso pensamento; algo encantador flutua no nosso mundo de pensamentos, estimulando nossa fantasia e energia de manifestação. A partir daí, esta é também uma forma que promove nossa capacidade de descanso por meio de sugestões próprias, como, por exemplo, treinamento autógeno. Esse anjo atua especialmente sobre os nossos pensamentos e nos ajuda a dar-lhes descanso e, ainda, concentrá-los parcial ou completamente com a atenção voltada para onde os pensamentos são conduzidos. Todos que se tornaram confiantes com relação aos métodos de descanso desse gênero sabem como é difícil permanecer com a atenção voltada para onde atravessamos os pensamentos com nossa energia de manifestação. Geralmente, nossos pensamentos emigram, mas descobrimos, a qualquer hora, que não estamos mais "distraídos". Nada é utilizado para nos irritarmos, ficarmos chateados ou nos tornarmos impacientes com esse procedimento. Com isso, parte da nossa atenção — e com isso a energia densa, antes concentrada somente onde não precisávamos dela, como para a agregação do aborrecimento, ou da impaciência — não se desvia mais da ambição verdadeira. O anjo do jade nos ensina a nos voltarmos compreensiva e afetuosamente com nosso pensamento para onde eles podem corresponder à nossa manifestação — isso quando eles também se desviam freqüentemente e querem privar-se da nossa atenção. Neste processo de educação dos nossos próprios pensamentos, o anjo nos permite reconhecer que nós mesmos deixamos que os pensamentos se espalhem e, com isso, também dispersem nossas energias, em vez de estarem junto do que acabamos de fazer, privando-nos com isso da beleza e realização completa com que podem presentear-nos com um momento totalmente vivenciado. O amor de Deus está acima de tudo; só não o descobrimos quando não estamos "completamente" junto dele, porque nossos pensamentos estão em outro lugar. Com o influxo do anjo do jade, aprendemos no amor por nossos pensamentos a criá-los para uma capacidade de concentração que não se deixa forçar por meio do "desejo" do nosso entendimento, mas somente por intermédio do direcionamento, entendimento, aceitação e mudança.

Jade em forma de gota

Através do jade em forma de gota vem até nós um anjo com aura em forma de gota, no tom azul suave brilhante da pedra, que cai como uma gota paliativa na nossa aura. Aí, a nossa vida sentimental é tocada pelo amor divino, experimentando com isso o alívio e consolo em domínios feridos, dolorosos, mas também o estímulo para voltar-se para a beleza, vitalidade e alegria de viver, lá onde descobrimos mais cedo o amor por tudo e nos abrimos para isso, como àquilo que magoa a nossa alma. Nós nos inclinamos àquilo que não corresponde à nossa manifestação do amor ou atitude afetuosa como que para não ver o desejado por Deus e pensarmos que o amor de Deus nos abandonou onde sentimos dor. O anjo do jade deixa a nossa alma experimentar que o amor de Deus está acima de tudo; ao mesmo tempo, ele nos conduz para fora da parcialidade. Em todas as dores, penas, ferimentos, em tudo necessário e triste, ele nos deixa reconhecer o "bom em tudo", dizendo-nos que tudo tem o seu significado e nós mesmos decidimos se queremos ver o "bom" ou entramos na tristeza, deixamos de ver pelo lado "bom" e abrangemos com as vistas apenas as ajudas que vêm ao nosso encontro. O anjo nos conduz para fora da parcialidade; ao mesmo tempo ele nos toca com a beleza da vida e desprende a nossa atenção da fixação da tristeza, da pena e da dor. Assim nós podemos encontrar abertamente a vida, não vendo somente a tristeza, mas também o bonito e o afetuoso.

Se usarmos o jade junto ao pescoço, nossa voz receberá um som vital e nos sentiremos vivos para agarrar com palavras toda a beleza da vida que se manifesta do amor por tudo, para falarmos sobre isso e, então, nos abrirmos para a beleza, o amor, a suavidade e o encantador, para trocarmos isso. Além de tudo, encontramos na agressividade rapidamente a harmonia, encontramos a palavra certa para terminarmos uma briga.

Junto ao coração, ele atua muito especialmente fortalecendo-o e tranqüilizando-o, e dá ao nosso corpo vitalidade e beleza, permitindonos desenvolver o amor por nosso corpo, mas também por sentimentos feridos e "vibrados para fora".

Usado como anel na mão, o jade leva o amor a todas as nossas relações. Nossas atividades diárias recebem, com isso, uma fascinação nova, fresca, porque estamos "atentos" ao amor e ao respeito, à estima e à atenção.

CALCEDÔNIA

Anjos da palavra de Deus

A calcedônia verdadeira não é atravessada por barras brancas, mas, sim, por uma cor brilhante em azul suave, fraco, claro. Com essa calcedônia azul-clara luminosa, quando polida em cabochão, vêm até nós os anjos. Eles contribuem para que possamos comunicar-nos e exprimir-nos na vida, e nos ensinam uma relação livre e vigorosa com a palavra. De um lado, eles nos ajudam a dominar as inibições, a dizer ou escrever alguma coisa. Por outro, eles deixam ficar para trás o excesso do que vem à expressão por meio das palavras, e salientam a simpatia, afeição, benevolência e sabedoria. Estes são os "anjos da palavra de Deus", pois não influenciam somente a nossa verbosidade e a força de expressão, mas também influem sobre o que falamos. Eles nos permitem manifestar o amor curador, divino, em nossas palavras e nos instigam a tornar isto possível, fazendo com que reconheçamos e vivenciemos o plano espiritual, tornando-o acessível verbalmente aos outros. Podemos vivenciar, sob seu influxo, o encontro de palavras apropriadas para conversarmos sobre o mundo espiritual e, ao mesmo tempo, a certeza de que as palavras trazem consigo a força da vivência e do reconhecimento, tanto que outros homens nos ouvem. Alguma coisa soa na nossa voz, mostrando que aquilo sobre o que falamos também é realidade, é vivenciável, tem um fundo de experiência. Falamos com o poder da persuasão, sem querer convencer, e estimulamos este poder, por meio desse processo, em sua procura e aspiração de satisfazer à exigência de Deus — pois, os homens sentem, por meio desse encontro, que é possível estar conscientemente em união com Deus.

Calcedônia oval

Com a calcedônia oval polida como cabochão vem até nós um anjo em azul suavemente luminoso, e satisfaz a nossa aura com sua irradiação de forma oval. O sossego entra em nós, as células sentem-se aliviadas e se abrem para a vibração, que elas reconhecem como "a linguagem de Deus". É como se procurássemos persuadi-las e, com isso, manifestássemos nosso agradecimento porque elas fazem sua obra desinteressada, constante e fielmente. Somente a vontade do homem pode carregá-las, exigir demais delas, incomodá-las, deixando-as doentes. O anjo protege nossa sensibilidade para com a necessidade de silêncio do nosso corpo, e nos permite entrar em contato com a consciência da célula — tanto que aprendemos a nos comunicar conscientemente com as nossas células, ouvir suas necessidades e conselhos e conversar com elas, para conseguirmos compreensão para a nossa situação, atitudes, e maneira de agir com elas. As células, então, não ficam com a impressão de que nos decidimos simplesmente contra elas, que não nos importamos com suas necessidades e capacidades e já exigimos demais delas. Nessa comunicação, elas também devem vivenciar conosco que as penetramos e consideramos suas necessidades e limitações, analisando e detendo isso positivamente. E, então, não vamos fazer simplesmente o que nos parece certo, fácil, urgente, inviável etc. Cada célula do nosso corpo está equipada com uma consciência que funciona independentemente e de acordo com a harmonia divina — enquanto não a incomodarmos com desejos egoístas, o que conduz, por muito tempo, à desarmonia e à falta de saúde da alma. Esse egoísmo pode ser muito bem disfarçado, a fim de não percebermos estar violando o equilíbrio da vida. Pensamos em exigir demais de nós mesmos por um bom objetivo: ora, abstendo-nos da nossa vida, ou, melhor dizendo, do nosso nível de vida, da nossa família, do nosso lar; ora, trabalhando excessivamente para a elevação do nosso sentimento de autovalorização, e, por isso, explorando e sobrecarregando desconsideravelmente nosso corpo por muito tempo. O anjo da calcedônia nos ensina a explorar essa auto-avaliação por intermédio da comunicação objetiva com as consciências das nossas células. Com exercícios progressivos podemos deixar de privar-nos cada vez mais do amor e da instrução divinos. Assim, aprendemos a viver correspondendo às nossas condições físicas, consentâneos com a vontade de Deus.

Calcedônia retangular

Por intermédio da calcedônia polida em retângulos como cabochão vem até nós um anjo com aura extensa e que toca nossos atos diários, nossas decisões, encontros e relações com o azul luminoso da pedra. A sinceridade, o interesse interno e a simpatia são protegidos com isso. Nossa comunicação com as pessoas, que nos cercam — como, por exemplo, colegas, chefes, membros da família ou vizinhos — se torna intuitiva por causa disso. Aprendemos a ouvir o que é dito entre as palavras, aquilo que o outro, no fundo, nos quer dizer. A nossa escolha de palavras e a força de expressão da nossa voz também se transformam, aumenta o círculo daquelas pessoas que nos ouvem e se interessam pelo que temos a dizer. Nossa autoconfiança tende a crescer quanto mais freqüentemente vivenciarmos que temos realmente alguma coisa a dizer, que alguém nos ouve, que pedimos ajuda e nossa opinião é considerada. O anjo nos preserva de abusar dessa capacidade para prejudicar os outros, e direciona nossas intenções para o sentido divino. Chegamos, assim, ao porta-voz de Deus no dia-a-dia.

Calcedônia redonda

A calcedônia em polimento como cabochão redondo nos permite unir-nos a um anjo que, com sua irradiação da aura em forma de círculo, satisfaz nossa aura com o azul suave luminoso da pedra. O silêncio penetra no mundo dos nossos pensamentos e na necessidade de deter o exame de consciência e uma discussão com Deus. A nossa consciência despertada e intuitiva é ativada e, com isso, fica protegida a capacidade de ouvir a palavra de Deus, de perceber a inspiração e ativá-la com nossas energias de manifestação. Aprendemos a tirar dessa comunicação força e orientação para nós e, também, para os outros e a transmitir com amor. Às nossas idéias e pensamentos são dadas asas para exprimir a mensagem divina com as palavras de Deus, e arranjar-se progressivamente com a nossa percepção do mundo espiritual. Isto pode conduzir-nos a falar aos outros homens sobre as leis e os contextos entre o mundo material e espiritual e, assim, utilizarmos nossa capacidade de percepção intuitiva. Ou, então, escrevemos um livro ou instruímos outros a encontrarem sozinhos o acesso à "palavra de Deus"; ou, ainda, os induzimos a servirem como médiuns mediadores entre o mundo espiritual e os homens aqui na Terra, e assim estimulamos uma troca de informação. Finalmente, podemos também deixar florescer isso tudo em nós como dom individual, a fim de transmitirmos e manifestarmos o que foi reconhecido na linguagem.

Calcedônia em forma de gota

Como cabochão polido em forma de gota, vem até nós, por intermédio da calcedônia azul-clara, um anjo que protege os processos anímicos de purificação. Com sua aura azul suavemente transparente em forma de gota, ele satisfaz os potenciais da nossa alma, que esperam nesta vida terrestre ser ressuscitados. É "o bom carma", a força que a alma pode recolher em encarnações anteriores e que, como "almofada de luz" azul-clara da alma, espera por isso, até que estejamos outra vez nesta vida terrestre, para que possamos utilizá-la. Este tempo chega quando não mais duvidamos da presença de Deus, pois podemos vivenciar Sua expressão em nós. A alma começa, a partir daí, a robustecer-se também em sua energia de crença e habilidade de Deus, e pode recorrer a impressões anteriores do mesmo gênero. Elas se elevam da alma. O anjo da calcedônia nos protege muito nesse processo, pois ele encontra, com sua forma, a entrada para o domínio da alma e atrai, com sua irradiação colorida, justamente essa "almofada de luz" azul, levando-nos, com isso, à consciência. Por causa disso, um campo de energia da alma é colocado à nossa disposição — este campo serve ao crescimento da alma, por intermédio da ampliação da energia da crença sobre o falar com as palavras divinas e com a força de Deus. Se este acesso é reproduzido, percebemos sempre nitidamente que podemos recorrer a impressões, capacidades e conhecimentos que não provêm desta vida, mas nos são confiados quando "aparecem" novamente em nós.

Usada junto ao pescoço, a calcedônia dá à nossa voz muitas energias especiais, fortalece também nossos pulmões, e estimula nosso conflito mental com o mundo espiritual e, especialmente, com a experiência divina e a palavra de Deus. Com isso, nosso chacra cardíaco é estimulado de forma especial; ao mesmo tempo, nos incita a comunicar aos outros nossos encontros com Deus por meio da linguagem e a falar, em geral, consentâneos com o amor divino, tanto que Ele também fala indiretamente, por intermédio de cada palavra, a partir de nós.

A calcedônia junto ao coração toca nosso mundo sentimental e realiza um direcionamento afetuoso para nossos processos internos, emoção e afeição, deixando a saudade crescer em nós para vivenciarmos uma união consciente com Deus e para entendermos a sua linguagem.

Se usarmos a calcedônia como anel junto à mão, ela fortalece o nosso sentido de realidade, permitindo-nos reconhecer, ao mesmo tempo, a realidade e a subjetividade de todos os processos e o fato de não existir, finalmente, verdade absoluta alguma. Este conhecimento liberta a energia para que atue, apesar de todas as manifestações de ideais, consentânea com a vontade de Deus.

PEDRA-DA-LUA

Anjos dos segredos da alma

Existem pedras-da-lua coloridas tanto em suaves tons amarelo, verde e rosa, como em marrom, cinza e preto brilhantes, indo também do transparente ao leitoso, com mais ou menos azul brilhante forte. Trata-se aqui das pedras-da-lua transparentes, profundamente misteriosas e suavemente brilhantes. Polidas como cabochão, elas estão unidas aos anjos que cuidam da nossa capacidade de dedicação, brandura, intuição, sensibilidade, sensitividade e acolhimento — especialmente do acolhimento da mensagem do mundo espiritual. São as características femininas ativadas em nós por esses anjos, mas, ao mesmo tempo, estas são direcionadas para a manifestação da feminilidade espiritual e a preparação da mediunidade, que exige certa capacidade de dedicação voltada para o mundo espiritual — um abrir-se e deixar acontecer. Com sua luz misteriosamente brilhante, os anjos da pedra-da-lua nos colocam em contato com "os segredos" da vida por meio de encontros e percepções do mundo espiritual. Esses são os "anjos dos segredos da alma".

Pedra-da-lua oval

Com uma pedra-da-lua polida ovalmente como cabochão vem até nós um anjo que encontra, com sua aura oval, uma saída para a nossa aura e a satisfaz com seu azul suave e brilhante. Esta vibração protege o nosso lado feminino. Em cada ser humano, circulam energias femininas e masculinas. O lado direito do nosso corpo e a metade esquerda do cérebro são estampados masculinamente, trazeendo consigo o ativo, estimulante e doador como característica de energia. O lado esquerdo do corpo e a metade direita do cérebro trazem consigo os cunhos femininos, como o passivo, o esperado, o concebido. O nosso corpo experimenta, com o azul brilhante leitoso do anjo da pedra-da-lua, uma mobilidade flexível, suave, e uma energia que quer manifestar-se e realizar-se não somente por meio da ambição de domínio, mas também por intermédio da capacidade de adaptação. Para poder ajudar-nos precisamos de algo pelo qual nos sintamos atraídos ou alguém que nos atraia.

Por intermédio do influxo da pedra-da-lua, o nosso corpo se volta para as energias femininas — sem com isso desenvolver uma luta com o lado masculino. Descobrimos em nós a energia feminina como complemento da energia masculina. Ambas protegem-se, uma à outra, quando estão completamente desenvolvidas. O corpo aprende com o anjo a conhecer melhor seus sentimentos físicos, e desenvolve na evolução de sua mobilidade uma elasticidade flexível e a necessidade de meiguice e ternura. Isto também lhe oferece uma porção de liberdade do padrão de identificação e de energia inculcado, comprometido com a tradição — pais, modelos, normas sociais e esperanças estampadas em nós. Bloqueios de energia do nosso corpo que estão ligados a isso desprendem-se e orientam-se de maneira nova — segundo o que nos revela a nossa alma, o que ela transmite ao nosso corpo, como se sente dentro dele e como se sente "em casa" e adaptada dentro dele.

O polimento como cabochão oval, redondo e em forma de gota é freqüentemente encontrado na pedra-da-lua; ao contrário, ela é raramente polida retangularmente. Isto corresponde à sua vibração "feminina" arredondada, que vem, por meio das formas oval, redonda e de gota, convenientemente à expressão.

Pedra-da-lua redonda

Por intermédio de uma pedra-da-lua polida redonda unimo-nos a um anjo que aparece no brilho da sua pedra com aura em forma de círculo. Ele toca toda nossa aura e, especialmente, a parte que se sente atraída por sua energia: metade direita do nosso cérebro, o lado orientado intuitiva e sentimentalmente. Com o anjo são ativados em nós potenciais que eram, até então, inacessíveis. Sentimo-nos inspirados pelo novo. Embora não possamos agarrar e penetrar nisto com nossa inteligência lógico-analítica, que corresponde ao lado masculino e à metade esquerda do cérebro, descobrimos que existe em nós algo que é capaz de resolver, de uma maneira ou de outra, exigências, problemas, dificuldades por meio de "reflexões". Percebemos possuir "antenas internas" que podem adaptar-se ao acolhimento das energias espirituais e à mensagem do mundo espiritual. Com isso , desfrutamos possibilidades fascinantes, inesgotáveis e inescrutáveis de penetrar, com nossa capacidade intuitiva, o mundo espiritual e chegar aos segredos da vida por indícios, para refleti-los também na nossa alma.

Pedra-da-lua em forma de gota

O anjo que vem até nós por intermédio da pedra-da-lua polida como cabochão em forma de gota toca, com sua aura azul brilhante em forma de gota, a nossa alma com todos os sentimentos e dons intuitivos. O mundo sentimental é agregado junto a nós do lado feminino, ao contrário do mundo do pensamento, que equivale ao masculino, mesmo quando ele apresenta energias e capacidades, que, a rigor, são realizadas tanto de forma feminina como masculina. Assim é também o mundo sentimental, quando o contemplamos de forma precisa, unidos às energias que se deixam separar em feminina e masculina. Enquanto os sentimentos masculinos nos transmitem força, dominância, energia de imposição etc., os sentimentos femininos nos concedem intuições, simpatia, brandura, ternura etc. Por intermédio do anjo, isto chega até nós, então, para uma comparação desses dois potenciais interiores de sentimento, que se completam e se protegem mutuamente. Manifestamo-nos, por isso, com comportamentos de modos extremos: de um lado, somos muito duros, dominadores, dirigentes objetivos; de outro, muito brandos, transigentes e sensíveis — conosco e, também, com os outros.

O anjo da pedra-da-lua em forma de gota toca também os potenciais da nossa alma que são misteriosos para nós mesmos, e que esperam ser descobertos ainda nesta encarnação da alma e conduzidos à união com o novo. É uma "viagem de descoberta" da alma com "espanto" infantil e a compreensão de contextos dos mundos espiritual e material ainda desconhecidos. A dor profunda da alma se manifesta também com isso, ao mesmo tempo que nos dá a alma para reconhecermos como a machucamos por meio da repressão dos sentimentos. Com isso, um sentimento materno por nós mesmos cresce de maneira segura em nós. Por causa dele, concedemo-nos a doação afetuosa à "alma chorosa", assim como uma mãe consola e guarda com amor seus filhos chorosos. Aprendemos a lidar afetuosamente não só com nossos sentimentos, mas também com nossas necessidades internas, porque não podemos maltratá-las adicionalmente, quando sabemos de suas feridas profundas, pois isto contradiria a nossa índole feminina.

Quando usamos a pedra-da-lua junto ao pescoço, encontramo-nos especialmente com o lado intuitivo do nosso pensamento e recebemos, com isso, um acesso ao mundo espiritual. Mas também os bloqueios da nossa voz, adoecimento das cordas vocais, necessitam de ajuda. A nossa voz se torna doce. Mais permeabilidade se mostra sobre o plano físico, mental e sentimental.

Junto ao coração, especialmente a nossa intuição e a simpatia são protegidas das dores da alma. Isto chega à revelação dos segredos da alma por intermédio do mundo sentimental, o que conduz a uma sensibilização crescente dos processos anímicos, em nós mesmos e também nos outros.

Se usarmos a pedra-da-lua como anel ligado à mão, nos sentiremos prontos e animados, como que por um pedido interno, para transmitir os próprios conhecimentos e experiências nas relações com as forças perdidas da alma e para ajudar os outros homens na salvação dos seus sentimentos dolorosos e do seu "sofrimento da alma", assim como para continuar descobrindo com os outros os segredos da alma.

Com isso, deixamos os planos dos anjos que nos alcançam com as pedras por meio dos nossos centros energéticos da mão. É de especial eficácia quando usamos essas pedras junto às nossas mãos. De um lado, porque os anjos que estão unidos a essas pedras preciosas nos tocam por intermédio do centro de energia da mão, tanto que usufruímos a energia da pedra condensada nas proximidades. Por outro, é concedida, por meio do uso de um anel, uma união energética especialmente afetuosa com a energia e espécie da pedra que está no anel. Acresce-se, ainda, que a energia recebida e entregue por intermédio dos centros da mão traz consigo uma força de relação ativa correta que quer ser empregada praticamente.

Nesta altura, eu gostaria de entrar nas séries tanto de bola e de lasca, que são feitas freqüentemente destas, como das pedras preciosas de pouco transparentes até opacas. Uma concentração de energia agressiva, ativa, estimuladora está unida às séries de lascas pela forma da pedra — as "lascas da pedra" —, enquanto que com as séries de bolas, por meio da forma de bola, chegam até nós energias harmonizadoras, compensadoras, arredondadas, atuantes de forma perfeita. As duas espécies de séries nos protegem de maneira segura. A série de lasca repele ainda as forças de suas irradiações agressivas; a série de bola, ao mesmo tempo, permite nascer uma estrutura de força uniforme, por meio da qual nada do que poderia incomodar essa uniformidade consegue trespassar. Com as forças defensivas de uma série de lascas, atuamos também sobre os outros defensiva ou agressivamente, enquanto ativamos as energias harmonizadoras e integradoras por intermédio das séries de bola — tanto em nós mesmos quanto nos outros.

Meditação com o anjo usando um quartzo róseo oval

Por meio de uma meditação podemos ativar, de outra forma, as forças dos anjos da pedra, do jeito que ocorre com seu uso, pois intensificamos as energias com nossa existência consciente, com nossa atenção. A energia sensível e suave, deslizando simplesmente das pedras polidas como cabochão, deixa-se vivenciar muito bem quando estamos deitados, pois estas vibrações nos trazem descanso e descarrego. Podemos colocar o cabochão que escolhemos para meditação sobre diferentes lugares do corpo. Para promover uma reação, ele deve estar também sobre um chacra (centro de energia) — por exemplo, junto ao pescoço, sobre testa ou peito, sobre barriga ou baixo-ventre. Um lugar ativo muito extenso é o chacra esplênico (centro do plexo solar), nosso sol interno — entre o umbigo e o peito —, pois as vibrações que são ativadas por meio desse centro de energia alcançam nosso interior e daí todos os canais energéticos, efetuando uma centralização das forças.

Um outro fortalecimento de energia acontece quando colocamos nossas mãos adicionalmente sobre a pedra — planamente, uma ao lado da outra, e não uma sobre a outra. Uma mão fica paralelamente acima do umbigo; e outra, paralelamente abaixo do peito. Por meio de uma concordância, unimo-nos conscientemente à energia da vida universal, à luz da vida e à onipotência e ao amor divinos, e ativamos com isso o potencial de luz das nossas mãos, deixando fluir por intermédio de seus centros de energia "luz e amor", a força divina que tudo penetra. A força do anjo, que pode vir até nós por meio do cabochão deitado, é satisfeita com a luz que desliza através das nossas mãos com um brilho latejante. Assim, mantemos contatos, de forma consciente, com as fontes de energia mais elevadas: a luz e o amor divinos. Ela flui, por intermédio dos anjos, para onde é necessária e, também, na intensidade e quantidade apropriadas à harmonização do nosso "rio" de energia.

Não precisamos pensar em nada — simplesmente nos permitimos relaxar e deixar acontecer. Se nos encontrarmos com um quartzo róseo oval polido como cabochão para uma meditação, a pedra faz o descarrego da nossa aura e traz harmonia especial com o anjo da suavidade.

Deite-se de costas em um local tranqüilo, com as pernas juntas uma da outra, o quartzo róseo sobre o chacra esplênico (centro do plexo solar), entre o umbigo e o peito, suas mãos acima deles. Preste atenção em como você pousa a pedra. Para desfrutar melhor o "rio" de energia, ela não deve estar assentada "paralelamente", mas, sim, "transversalmente". Então, feche os olhos, descanse e acompanhe-se da onipotência divina e do amor do anjo junto ao quartzo róseo: sinta o seu corpo com todo o amor. Volte sua atenção interna para sua pelve, e sinta seu contato com o solo (pensando em encosto, cama, onde você está deitado) e satisfaça isto com todo seu amor pela pelve. Deixe sua atenção ir para suas pernas e pés, sinta seu contato com o solo e todo seu amor por suas pernas e pés. Sinta mais uma vez, rapidamente, a pelve e volte-se, a partir daí, para suas costas e ombros, sentindo seu contato com o solo e todo seu amor por suas costas e ombros. Do ombro, sinta a sua nuca e a cabeça, mas também seus braços e mãos — com todo seu amor por todas estas partes do seu corpo. Sinta seu corpo todo — como ele está deitado - com todo seu amor por seu corpo. Ele agora está completamente descansado.

Volte-se, então, para suas mãos sobre seu corpo e peça à Força da Vida, ao Pai Celeste, à Onipotência amorosa — ou como você denomina esta energia universal de vida extensa — para penetrar tudo, atravessando e envolvendo. Veja-se deitado em um ovo de luz, entrelaçado e cercado por um fino fio dourado. Com esta representação você está ligado à pura força divina e está protegido. Não precisa imaginar como esta força chega até você nem como flui em você. Isto acontece melhor até como você nem pode imaginar. Nesta luz divina, veja suas mãos brilharem — você as torna, com isso, mais curadoras e abençoantes. O quartzo róseo também brilha nesta luz, sendo assim purificado, carregado e ativado em sua energia de luz completa.

Sua luz em cor rosa suave difunde em forma oval, ondeante; sua aura aumentará tanto que seu corpo será completamente satisfeito por esse rosa brilhante. Neste momento, um brilho e um impulso o atravessam — o anjo do quartzo róseo em cor rosa chegou e desliza com sua energia, que o toca e o penetra completamente suave. Com esta suavidade tudo em você começa a doer — suas culpas, dores da alma e bloqueios. Seu corpo se sente perfeitamente amado — com todas as suas fraquezas e virtudes. Tudo é satisfeito pelo amor extenso que flui, incondicionalmente, para onde é necessário e com o qual cada resistência e aborrecimento fundem-se em você, porque não fazem sentido. Deus o ama como você é, ama cada célula do seu corpo e o atravessa com Sua suavidade por intermédio desse anjo.

Para você, é como se o anjo do quartzo róseo o detivesse afetuosamente em suas "asas", tocando e acariciando tenra e suavemente todo seu corpo com suas asas luminosas — sua cabeça, rosto, pescoço e nuca, peito e ombros, braços e mãos, costas e barriga, pelve e baixo-ventre, pernas e pés. Seu corpo exalta-se em rosa elucidativo, atravessado de dourado; sente-se protegido, salvo e recebido com todo o amor, que ocorre — no amor por seu corpo, este amor se funde com a suavidade do amor divino — um sentimento físico celeste (como se estivesse deitado sobre as nuvens, cercado por suaves asas de anjos) que o atinge. Entregue-se completamente a esta situação sublime e resolvida, quando seu corpo vivencia cura divina, harmonia e suavidade, fundindo para fora tudo o que for agravante, deixando-o florescer como uma rosa luminosa com toda sua beleza, fragilidade e suavidade, e ensinando-lhe a dedicação e confiança à força divina.

Quando você quiser terminar esta experiência, "veja" mais uma vez com o seu "olho interior" o anjo rosa brilhante com sua aura oval e despeça-se dele com agradecimento e amor no seu coração. Veja-se deitado numa luz — em um ovo de luz com limitações douradas — e agradeça à onipotência divina. Veja também suas mãos luminosas e o quartzo de rosa radiante, e agradeça.

Regresse para o "exterior", ao mesmo tempo que você "desperta" seu corpo, com amor e movimentação suave, para nova vida. Sinta outra vez sua pelve e seu contato com o solo, assim como suas pernas e pés, costas e ombros, nuca e cabeça, braços e mãos. Movimente seu corpo e respire fundo. Conscientemente, abra os olhos e volte-se para o "exterior" — cheio de novas energias.

OPALAS NO CHACRA CARDÍACO

OPALA

Anjos da plenitude do coração

Opala significa, em sânscrito, "pedra preciosa". Com a opala vêm até nós anjos muito diferentes, aparecendo ela também em várias espécies: as mais comuns são as opalas transparentes leitosas, com inclusões suavemente furta-cores; opalas "pretas" das quais salta, com base escura, um jogo de luz luminoso como fogos de artifício; opalas "brancas", que se exaltam sobre a base branca em cores expressivas, furta-cores; opalas de fogo laranja luminoso ou vermelho, que raramente opalizam, mas devido à sua "luz" ardente são polidas em facetas — opalas que nascem sobre a rocha-mãe marrom e jogam com o fogo suave em cores bonitas.

Os anjos das opalas nos alcançam por intermédio do nosso chacra cardíaco. Em toda sua variedade, beleza e intensidade de luz, elas correspondem à "plenitude" do nosso coração, que ativam também por meio de sua vibração e trazem para nossa vida. Conforme a cor dominante, elas atuam mais sobre o plano físico e da alma sentimental, ou no plano mental espiritual. Se prevalecer o verde, vermelho, laranja-avermelhado, amarelo ou uma mistura de no mínimo uma dessas cores sobre a opala, trata-se, antes de mais nada, de um corpo e seu bem-estar, assim como de uma energia para a realização do dia-a-dia da matéria. Nas combinações de cores predominantemente vermelha, amarela ou azul, será mais estimulada a vida da alma e a sentimental; nas manifestações das cores azul, verde ou amarelo, são protegidas as forças espirituais e mentais. Com a opala, sempre se trata da produção da variedade em nós: nossa aparência, atos, sentimentos, pensamentos, contatos, atividades, decisões, conversas, comercialização ao nosso redor, no nosso domínio de ação.

Devido à variedade furta-cor, é impossível descrever todos os modos de ação e todas as espécies de anjos que cercam a pedra. Existem diferenças nítidas entre as opalas preta, branca e a de fogo.

A alegria junto à criatividade e à variedade produtiva, como também a criatividade e um sentimento de vida essencial, vivo e brilhante, orientado universalmente, estão sempre em primeiro plano quando a opala e seus "anjos da plenitude do coração" nos tocam. As opalas pretas e brancas, assim como as opalas de fogo com efeitos opalizadores brilhantes, são polidas como cabochão predominantemente nas formas oval, redonda ou de gota. A opala de fogo luminosa, transparente, não-opalescente é polida em facetas.

Opala preta

As opalas pretas têm uma base escura, que não é necessariamente preta, mas pode ser também azul-escura, verde-escura ou cinza-escuro. Desta escuridão irrompem furta-cores, mais luminosas, em irradiação com efeito em todos os tons e sombreados. Nenhuma pedra é igual à outra — cada uma delas é de uma individualidade e beleza inconfundíveis. Assim como suas cores saltam da escuridão diretamente intensivas através da base escura, a pedra também atua sobre nós. Seus anjos nos ajudam a descobrir e a produzir a beleza que se oculta em nossa escuridão, inconsciência e fraqueza. Nosso medo, angústia e inibição caminham para os desafios. Estes nos dão força para não circularmos, por muito tempo, com algo que, internamente, sabemos que não podemos evitar, mas, sim, devemos atacar, dominar e despachar ativa e conscientemente, porque isto aflora e nos estimula.

Opala preta oval

Por intermédio de uma opala oval polida como cabochão vem até nós um anjo com aura oval, no furta-cor luminoso da pedra, corres-pon-dendo completamente ao desenho da pedra. A ordem e a intensidade de luz das cores sobre a pedra correspondem à "aparência" do anjo. Ele ama movimentar-se e, com isso, eleva sua intensidade de luz. A pedra também nos mostra, com o movimento, seu fogo verdadeiro. O anjo da opala produz nosso temperamento variado; ele pode transformar-nos, até mesmo, de homem introvertido, voltado para dentro, em alguém extrovertido, voltado para fora e atuante. Ele ativa nosso corpo e o leva, de maneira variada, a "excursões alpinistas", deixando-nos vivos e tranqüilos. Isto já indica que a opala não é pedra específica de uma natureza amante do sossego. Esses homens se sentiriam incomodados em seu sossego e se sentiriam sem sorte sob a pressão contínua para sair de si e comunicar-se. O anjo satisfaz nosso corpo com a necessidade de levar, da melhor forma, sua beleza à expressão, a fim de fazer justiça às necessidades variadas da vida já transformada.

Opala preta retangular

Com uma opala preta retangular polida vem até nós um anjo com aura extensa, furta-cor como a pedra. Ele nos ajuda a dominar nossa vida diária de forma viva, entusiástica e universal, mas, ainda assim, prudentemente. Na vida profissional, muitas execuções e qualificações são protegidas, evitando-se cada parcialidade. Os interesses privados, a vida familiar e as relações também sucumbem à aspiração de experiências variadas para realizar desejos e necessidades mais internas e para se conhecer melhor. Um impulso seguro para aventuras e a descoberta de coisas novas são despertados em nós, tanto que aparecem em nossa vida conflitos com normas tradicionais, comerciais. O fervor brilhante nos anima na realização dos nossos planos e objetivos.

Opala preta redonda

Com uma opala preta redonda polida como cabochão vem até nós um anjo que, em forma e jogo de cores, corresponde à pedra. Por intermédio de sua aura redonda, ele consegue o acesso à nossa aura e ativa por meio dela, de maneiras variadas, nosso mundo de pensamento, inspirando-nos com força de idéia brilhante. Sentimos alegria para nos ocuparmos, de forma variada, com os pensamentos e contextos diferentes da vida. Recebemos também muitos estímulos, em forma de idéias e lembranças, para "tocá-los até o fim", e indagando-lhes, mentalmente, se eles são convertíveis. Conhecemos nosso impulso explorador e dom de inventor. Com isso, nasce o risco de nos entregarmos a uma ilusão, de perdermos a cobertura para a realidade e nos desvanecermos em "castelos no ar". A base escura da opala nos permite sempre regressar à matéria e à nossa realização na Terra. Na "linguagem" da pedra, o escuro — ou seja, o preto — é a expressão para terra, existência terrena, a matéria mais densa da Criação. O grande dom do anjo está em despertar nosso potencial espiritual oculto, como a capacidade em desenvolver, sob o plano mental, estratégias para a transformação e realização das nossas idéias. Ele nos ensina, assim, a não repudiar o pensamento criativo, produtivo — livre de medo, contra qualquer norma. Ele nos permite pressentir a plenitude da existência.

Opala preta em forma de gota

Como cabochão polido em forma de gota, a opala preta nos permite estar unidos a um anjo com aura em forma de gota, em "vestimenta" furta-cor. Ele toca a estrutura da nossa alma e nos deixa sentir não somente as variadas possibilidades, mas também as tarefas da alma. Porque aquilo que está na "escuridão" quer que pelo menos parte da alma, durante sua encarnação nesta vida, seja levada à luz, ou seja, à consciência. Podemos vivenciar que, neste momento, a escuridão abriga em si uma plenitude de segredos e forças comprometedoras. O anjo nos estimula a querer descobrir e experimentar o que "está" dentro de nós, e o que podemos fazer com isso. Se um potencial de energia é liberto da sua escuridão, retira-se de nós cada restrição e discrição que nos bloquearam de medo perante o desconhecido. A energia que se torna livre com isso nos conduz à realização daquilo que tivemos de levar à expressão em nossa própria beleza como personalidade completamente individual. Um sentimento de vida universalmente satisfeito é a "recompensa".

Opala branca

As opalas brancas têm uma base clara, de onde aparece o luxo da cor brilhante. Seus anjos nos levam a uma união com a pureza e nos deixam vivenciar que nós, apesar do ideal de pureza, podemos ter freqüentemente vitalidade, alegria e idéias de riqueza brilhantes. Por outro lado, eles trazem a pureza para a nossa universalidade, para o que nos estimula — nossa motivação, desejo e atos —, e nos permitem manifestar uma beleza sossegada dentro de nós e ao nosso redor. Isso traz muitos processos de liquidação à nossa vida e a explicação com beleza na Terra sem prisão e manifestações fixas, como tem de ser e como deve aparentar a beleza. Uma força de criação pura e a criatividade em união com a sabedoria, bondade e cautela querem ser manifestadas dentro de nós por intermédio da opala branca. Ela toca especialmente nosso chacra cardíaco e nos dá força e estímulo, com a plenitude dos sentimentos que nos "inundam" para chegar à purificação. Os sentimentos de amor, em suas formas de expressão mais diferentes, também são submetidos à purificação. De forma muito especial, nossas motivações, pelas quais amamos alguém ou alguma coisa, e quais esperanças associamos a isso são tocadas nesse processo.

Opala branca oval

Uma opala branca oval que é polida como cabochão está unida a um anjo com aura oval, que irradia luz branca, coberta de pontos de cores brilhantes — assim como a pedra nos mostra. Ela toca e satisfaz nossa aura, ativa o processo de purificação no plano físico e deixa nosso corpo tornar-se satisfeito pela movimentação. Ao mesmo tempo, o anjo nos ensina a dar ao corpo, de toda plenitude, somente o que ele precisa para vivenciar beleza, saúde e alegria de viver. Isto pode tornar-se um processo longo, com muitos anos e muitas estações. Por exemplo, pode ser que encontremos um novo meio de alimentação que é melhor para o nosso corpo; pode chegar a necessidade das possibilidades de movimento, a fim de que nosso corpo se torne mais elástico e dinâmico — como *jogging*, ginástica, natação, yoga, tai chi chuan etc. Podem alterar-se as maneiras de comportamento em nossas vidas profissional ou privada, com as quais colocamos novas preferências. O que era importante para nós anteriormente pode apresentar pouca relevância; o que não era importante e não observado pode receber um valor maior e mais novo. Tornamo-nos mais flexíveis com relação às necessidades e aprendemos a sair das dependências habituais e a pegar logo aquilo que precisamos para viver isto, o que neste momento "aflora", apesar da plenitude da vida.

Opala branca retangular

Por intermédio de uma opala branca que é polida como cabochão retangular vem até nós um anjo com aura extensa, claramente brilhante, com as cores brilhantes da pedra furta-cor. Ele ativa os processos de purificação em nossa vida diária, ao mesmo tempo que nos ensina a sermos generosos. Recebemos do nosso meio, de muitas formas, o reconhecimento de que agimos a partir de motivos puros, preciosos. O anjo nos desperta para que orientemos nossos princípios de vida segundo a humanidade e o amor divino. E, apesar de toda a vitalidade até aqui presente, decidimos prudente e bondosamente pela incoerência e por homens que nos cercam e são um exemplo.

Opala branca redonda

Com a opala branca redonda polida como cabochão vem até nós um anjo com aura em forma de círculo, que irradia cor branca, com pontos de cor completamente brilhantes. Ele desperta em nós muitos pensamentos e idéias, por exemplo, como "podemos melhorar o mundo", como poderíamos levar todas as variedades da Terra e seus habitantes à uniformidade, apesar de todas as suas individualidades e particularidades. Nossos pensamentos motivados em muitas camadas são submetidos a um processo de purificação, com o qual podemos libertarnos de cada existência de prisão mental. Podemos abranger a relatividade e subjetividade por tudo o que percebemos e fazemos, o que também nos ajuda no desprendimento de nossas manifestações e esperanças obrigatórias e estreitas junto à vida. O anjo nos ensina a criar a partir da plenitude da vida e a levar nossa riqueza interna para fora, mas não para a nossa própria vantagem egoísta, mas, sim, no sentido e para a bênção da Criação e revelação divinas — e por meio deste caminho, finalmente, também para o nosso próprio bem.

Opala branca em forma de gota

Uma opala branca em forma de gota polida como cabochão nos une a um anjo com aura branca brilhante, com efeito de luz ardente completo. Ele recebe, por intermédio de sua forma de gota, o acesso à nossa alma e fortalece sua necessidade de pureza no mundo sentimental. Aqui também se trata da motivação do nosso sentimento, e reconhecemos mais e mais os contextos em várias camadas entre os nossos sentimentos e suas conseqüências na nossa existência, como isso chega até nós e com qual atitude sentimos, pensamos e fazemos alguma coisa. O anjo nos ajuda a atribuir o nosso modo de pensar a motivos puros e, apesar de tudo, a encontrar todas as variedades dos nossos sentimentos e necessidades sem parcialidade. A alma sente-se aliviada, pois pode comunicar-se e aprender a manifestar-se correspondendo à sua universalidade, e sem temer carregar-se e aos outros por meio da impureza; ela experimenta um processo de purificação vigoroso, por intermédio do qual nasce em beleza pura sobre muitos planos.

Opala de fogo

Na opala de fogo existem duas estampas muito diferentes. Uma corresponde às opalas até então descritas, pois elas não são muito transparentes, têm uma base laranja luminosa e inclusões opalescentes, resplandecentes, de várias cores, com as quais deslizam um encanto de cor luminosa ardentemente brilhante. As opalas de fogo típicas não são opalescentes — para isso são de laranja leitoso até luminoso, muito transparente até vermelho. Elas são polidas, na maioria das vezes, em facetas, o que deixa reluzir em luz ardente sua irradiação e sua aparência. Com isso, na opala conseguem expressar-se duas dimensões de luz e espécies de anjos diferentes — as pedras opalescentes e polidas como cabochão e as opalas transparentes, afetuosamente resplandecentes, polidas em facetas. Isto pede uma observação separada.

Opala de fogo opalescente

Essa opala de fogo tem sobre bases opacas, ou seja, não-transparentes, laranja luminoso furta-cor, pontos de cor brilhante, que por outro lado nos unem à universalidade. Trata-se da freqüência da nossa própria expressão, das muitas possibilidades de nossos seres e da realização ativa das maneiras universais. Os anjos dessas opalas de fogo nos equiparam a uma força afetuosa ardente, dinâmica. Principalmente as opalas em forma oval ou redondas são polidas como cabochão.

Opala de fogo opalescente oval

Por intermédio da opala de fogo oval polida como cabochão vem até nós um anjo com aura oval em laranja brilhante, com pontos de cor completamente luminosos. Com sua variedade de cores brilhantes, muito ativamente atuantes, ele satisfaz nossa aura e intensifica, por meio de sua cor, base laranja transparente, nossos primeiro e segundo centros de energia (chacras de base e umbilical), que são competentes para a construção elementar e a conservação da nossa existência aqui na Terra, e regem nossas relações, nosso relacionamento com nosso próximo e conosco mesmos, para saber se estamos em equilíbrio. O anjo nos leva, por intermédio da animação desses dois chacras com sua vibração, para uma situação muito ativa e as fases da vida. Ele nos deixa ir com completa vitalidade para o "exterior" e nos permite travar novos contatos. O nosso "eu recebido" se transforma, e é importante nos aproximarmos dos outros, abrirmo-nos para outros homens e, assim, conduzirmos uma vida universalmente orientada na troca com os seres humanos. Ele nos ensina também, apesar de toda a plenitude dos encontros e realizações, a não nos perdermos de nós mesmos com isso.

Opala de fogo opalescente retangular

A opala de fogo opalescente polida como cabochão retangular está unida a um anjo com aura extensa, de cor laranja luminoso, atravessada com raios de luz cintilante de várias cores. Esse anjo nos estimula a darmos o melhor de nós em nossa profissão, relações e no lar e a dominar nosso dia-a-dia de modo variado e dinâmico. Nosso comportamento e o quadro de manifestação são vigorosos, corajosos e estimulados para a frente, e aprendemos a colocar tudo em movimento para alcançar alguma coisa. Além de tudo, todos os nossos atos são trazidos pelo entusiasmo, o que passa rapidamente por cima do nosso meio e nos abre os "corações" dos homens, nivela os caminhos e traz relações vitoriosas, como o sentimento de existência com sorte, e êxtases.

Opala de fogo opalescente redonda

Como o cabochão redondo, estamos unidos na opala de fogo opalescente a um anjo que vem até nós com aura em forma de círculo laranja furta-cor, penetrado por campos luminosos em cores diferentes. Por intermédio da forma redonda da sua aura, ele satisfaz nossa aura com sua luz e atua, com isso, sobre nossos potenciais espirituais, especialmente sobre o mundo de pensamentos sentimentais. Ele acelera nossos pensamentos que giram em torno do nosso sentimento e se ocupam com a nossa vida sentimental e maneira de sentir o amor e de torná-lo realidade em nossa vida. Aprendemos com isso, ao mesmo tempo, qual a maior força e a dinâmica que estão ocultas em nosso mundo sentimental, e como influenciamos com esse conhecimento a nossa e a vida dos outros. Experimentamos a plenitude da nossa capacidade de amar por intermédio de impressões que surgem nas nossas idéias e pensamentos e nos mostram que a nossa fantasia é um potencial vigoroso. Para isso, precisamos viver também conscientes das alegrias da vida brilhante, com a capacidade de não nos afundarmos na plenitude, mas, sim, praticarmos o modo de vida real, conscientes da responsabilidade.

Opala de fogo opalescente em forma de gota

Por intermédio da opala de fogo polida como cabochão em forma de gota vem até nós um anjo que, com sua aura em forma de gota, toca a nossa alma, especialmente o mundo sentimental. Seu laranja luminoso, com todos os reflexos de luz furta-cor que correspondem ao jogo de cores da pedra, atua como um fogo animador e leva os vários aspectos do sentimento a soar em nós. Por intermédio dele, conhecemos a intensidade do nosso sentimento e vivenciamos qual força está dentro dele. De modo seguro, realiza sempre dentro de nós alguma coisa como uma prova de ruptura, pois vivenciamos com vitalidade completa em situações de sentimentos diferentes. Um sentimento arrebatador pode resultar disso, pois reencontramos a plenitude da vida dentro de nós mesmos.

Opala de fogo transparente

O transparente, ou seja, a opala de fogo transparente não está opalizada, mas, sim, atua por meio da intensidade de luz ardente do seu laranja ou vermelho resplandecente, que, ao mesmo tempo, são elevados por meio do polimento em facetas. Ela está unida aos anjos que ativam dentro de nós um amor claro, elevado em sua expressão espiritual e sexual. Uma alegria de viver fortemente emotiva nos percorre como um amor caloroso e afetuoso por Deus e pelo mundo construído por Ele — não apenas o plano terrestre, material, visível, mas também o "celeste", espiritual, invisível. Tudo se agita e se apaixona dentro de nós; com o amor, vamos com completo entusiasmo através da vida e, também, percorremos entusiasticamente os processos de purificação do amor.

Se a cor da opala de fogo for vermelha, seus anjos atuam especialmente sobre o nosso primeiro centro de energia (chacra de base), onde a sexualidade chega à expressão como força motora para a vida terrestre e nos motiva a garantir nossa existência aqui na Terra por meio da amizade, família, crianças, ocupação profissional e um lar agradável.

Por intermédio da opala de fogo em cor laranja os anjos ativam nosso segundo centro de energia (o chacra umbilical) e, com isso, nossa

157

importância condutora interna, assim como nossa necessidade e capacidade de experimentar a vida sensualmente e de interagirmos com outros homens.

Opala de fogo transparente oval

Por intermédio da opala de fogo oval polida em facetas vem até nós um anjo superior com aura em forma de ovo, em laranja ou vermelho luminoso — correspondente à cor da pedra —, protegido por muitos anjos, que chegam através das facetas e o acompanham. Eles estimulam em nosso corpo o sentimento do amor e de atitudes sexuais. Ao mesmo tempo, estimulam também um processo de purificação no nosso amor orientado pelo corpo e atraído pela amizade, deixando nosso coração entusiasmar-se por Deus. Penetra-nos, então, um sentimento de união com nosso chacra cardíaco, com o potencial de energia do amor por tudo, elevando nossa necessidade de amar à corrente do amor universal, divino. Por causa disso, nosso amor atraído pelo corpo vivencia uma nova dimensão de força. Ansiamos não apenas por um amor com um companheiro, este amor que traz consigo uma libertação da nossa vida fundamental, existencial, aqui na Terra, mas também por uma unificação com Deus. Isto traz para a capacidade universal de amar do nosso coração uma nova dimensão, com a qual podemos vivenciar a plenitude do amor divino com nosso corpo.

Opala de fogo transparente octogonal

A opala de fogo transparente polida octogonal está unida aos anjos em vermelho ou laranja luminoso. O anjo superior possui uma aura formada extensamente e é acompanhado por muitos anjos, que chegam através das facetas da pedra. Esses anjos nos instruem a viver nosso dia-a-dia em amor purificado. Nosso pensamento, sentimento, decisão e atos já são penetrados pelo amor por Deus e, por isso, somos protegidos a fim de transformarmos nosso amor atraído pelo ego em amor divino, sem renunciar à nossa individualidade. Aprendemos a ser singulares, sem petulância, sem exercer autoridade, repressão etc., e devemos vivenciar dentro de nós, ao mesmo tempo, a grandeza e a humildade em toda plenitude. Por causa disso, nossa atitude é orientada, de forma nova, com relação aos indivíduos que nos cercam — seja no local de trabalho, família, clube etc. Nosso sentimento de autovalorização não se eleva à custa dos outros, mas, sim, por causa do nosso amor incondicional a Deus, que, ao mesmo tempo, aproxima nosso meio de uma "luz" afetuosa.

Opala de fogo transparente redonda

Com uma opala de fogo redonda polida facetada vem até nós um anjo superior com aura em forma de bola, em laranja luminoso, ardente ou vermelho intensivo, acompanhado por muitos anjos que chegam através das facetas da pedra. Eles ativam nossos pensamentos por meio do amor dos homens uns pelos outros, do amor dos homens por Deus, e do amor de Deus pelos homens.

Eles atuam inspirando-nos e aproximando-nos da plenitude das possibilidades em que se mostra o amor de Deus. Com isso, somos também desprendidos, progressivamente, das fixações terrestres e vivenciamos a alegria e a realização não só por meio de nossa existência terrena, mas também por intermédio do direcionamento para a espiritualidade. Em nossos pensamentos e idéias surgem dimensões da nova qualidade e intensidade de vida. Impressões e conhecimentos que não podíamos prever anteriormente entram em nós e nos dão asas para aumentar nosso amor vivenciado, de forma nova, com Deus e para aprofundá-lo mais intimamente. Nossos pensamentos voltam-se à experiência da existência com Deus para gozar da plenitude da vida com todo Seu amor.

Opala de fogo transparente em forma de gota

Por intermédio de uma opala de fogo em forma de gota polida em facetas vem até nós um anjo superior com aura brilhante em cores laranja ou vermelho, que cai como uma gota ardente em nossa alma, acompanhado por muitos anjos que chegam através das facetas da pedra. Esses anjos despertam em nós o sentimento não realizado da nossa alma, que está unido aos potenciais da alma que aspiram nesta vida por um outro desenvolvimento, que podem alcançar somente por meio do amor e da purificação da necessidade de amar e do prolongamento, assim como da elevação da capacidade de amar.

Nosso chacra cardíaco estende-se sob a plenitude do amor, que brota da nossa alma para cima, por intermédio dos anjos da opala de fogo, e satisfaz os corações de outros homens, tanto que eles se tornam entusiastas do amor divino, universal, que se restringe não somente à existência terrestre, mas também encontra a realização no conhecimento do amor em muitos planos. Somos todos atravessados por uma corrente de amor e, nela purificados, e podemos alcançar, por meio dessa corrente, cada um por intermédio do amor por sua pessoa — assim como esse alguém conhece, precisa e pode admitir o amor. Seu coração se abre quando conversamos utilizando a linguagem do amor.

Se usarmos uma opala junto ao pescoço, a nossa linguagem e o modo de expressão, ao mesmo tempo, se tornarão universais, brilhantes, e atuarão sobre tudo animadoramente como um elixir da vida. A entonação e o timbre da nossa voz se tornarão, ao mesmo tempo, afetuosos e "arrebatadores". Fascinaremos os outros com essa entonação, com o modo de falar e com o que dissermos.

Junto ao coração, a opala é mais forte, pois encontra com seu esplendor de cores brilhantes, coloridas, a plenitude universal do amor, que se purifica no chacra cardíaco. A alegria da vida essencial, que passa também por cima dos outros, vem do nosso coração, brotando do amor.

Usada como anel junto à mão, a opala é para nós, especialmente, uma boa aliada, a fim de encontrarmos a alegria e o amor da universalidade da vida com entusiasmo. Nossa atitude em todos os domínios não só da vida terrestre, como também da espiritual, é estampada pela variedade de energia de expressão, e nos ilumina para dominarmos o processo de purificação do amor que a nossa alma quer alcançar por intermédio da vida na Terra.

Uma meditação com o anjo da opala

Não é tão fácil meditar com as opalas, porque elas levam a multiplicidade das maneiras brilhantes do nosso interior para o exterior — uma energia que é orientada para levar-nos de dentro para fora, da introversão para a extroversão. Esse é o processo oposto ao da meditação, na qual retiramos nossas energias dos interesses exteriores e as conduzimos para as evoluções internas. De modo bem verdadeiro, uma meditação com opalas brancas ou, ainda, com opalas de fogo não-ovalizadas dá um bom resultado.

Peguemos para nossa meditação uma opala branca que está polida como cabochão redondo. Porque a opala ativa por intermédio de seus anjos "a plenitude do coração", nós a colocamos sobre nosso chacra cardíaco.

Deite-se bem confortavelmente sobre as costas, as pernas uma ao lado da outra, as mãos junto ao corpo ou no peito sobre a opala. Feche os olhos e vá com sua atenção para o interior. Descanse seu corpo, veja-o na luz e peça a Deus para satisfazê-lo e rodeá-lo com Sua luz e Seu amor. Veja-se em um ovo de luz com limitações douradas; olhe suas mãos luminosas e a opala brilhante sobre seu coração, tanto que ela é purificada e carregada na luz do amor divino, pela fonte de força mais elevada e mais pura. Peça com um sentimento do seu coração para os anjos da opala virem até você.

Da distância do Universo você vê um anjo vir ao seu encontro. Sua aura é redonda, iluminada na luz pura branca e irradiada furta-cor, e já está em movimento. Esse anjo chega muito rápido em você, e uma energia o impulsiona quando ele entra em seu campo de energia. O amor perfeito por tudo, que é "santo", sobe até você. Cada pensamento, sua orientação mais interna, tudo é atingido por esta energia que se concentra sob esse anjo. Afetuosamente, ele envolve com suas asas luminosas sua cabeça e sua aura. Com isso, você sente uma libertação grandiosa do peso dos pensamentos que "circulam" na sua cabeça. Nela, isto se tornará muito leve e claro. De repente, resulta uma energia, uma inspiração de outros que penetram sua aura como impulso de luz. O conhecimento da sabedoria divina aflui, assim, em você de várias maneiras.

É como uma consagração quando o anjo o instrui e lhe inspira uma plenitude de novos estímulos de pensamento. Você reconhece sua riqueza interna, a força inesgotável do Universo, a plenitude infinita da Criação. Entusiasmo e alegria espalham-se em você, despertam novos "espíritos vitais" e tornam feliz seu coração, tanto que a força do seu sentimento e do seu entendimento se juntam para a melhor resolução dos seus problemas e desejos. Da plenitude das possibilidades que estão à sua disposição, você escolhe o de que você precisa para a realização.

Para terminar, o anjo passa afetuosamente e mostra através da sua cabeça que a agitação alegre desliza em você mais uma vez. Seu agradecimento acompanha o anjo, que se desprende de você e se afasta mais e mais.

Veja-se na luz, em um grande ovo de luz com limitações douradas; olhe suas mãos luminosas e a opala luminosa, e agradeça à onipotência amorosa, divina, que o criou e a tudo o que existe.

Solte seu corpo e movimente seus braços e pernas; espreguice-se e respire fundo. Conscientemente, abra os olhos e volte-se para o exterior — com o entusiasmo do seu coração e idéias brilhantes.

AS FORMAS DAS PEDRAS PRECIOSAS
A CHAVE PARA AS PORTAS INTERIORES

Correspondendo à forma das pedras preciosas, temos na mão uma chave que abre uma porta muito certa nos nossos corpos espirituais e nos consegue acesso a processos e potenciais internos. Estas chaves são confiadas aos anjos que, com sabedoria e amor divinos, abrem essas portas, entram com a luz, despertando e aumentando em nós a existência consciente da luz.

Com as pedras polidas ovais vêm até nós os anjos com aura em forma de ovo. Eles têm acesso especial ao nosso corpo físico e abrem com sua chave — o ovo, o oval — a aura do corpo. Isto traz não somente nova vida, força renovadora, mas também proteção e tranquilidade para a consciência das células do nosso corpo, deixando as células virem em uma vibração harmoniosa. Com isso, nossas energias de autocura são ativadas no plano espiritual. Estas forças atuam relacionadas com o corpo, e as condições prévias alcançam a cura do enfraquecimento do corpo, aliviam ferimentos e doenças e fortalecem o bem-estar físico.

Por intermédio de pedras polidas octogonais, quadradas ou retangulares os anjos nos alcançam com a forma da aura correspondente. Eles abrem com sua chave — a pedra — a porta para as forças materiais manifestantes, que fazem com que nossas representações e idéias sejam trazidas pelo potencial espiritual para as vibrações de energias densas, até que se tornem materiais, tomem forma no plano material e sejam visíveis na nossa vida na Terra. Acontece uma ativação das forças de vontade e energia. A união desses dois potenciais de energia dentro de nós possibilita a realização de um objetivo no plano terrestre. Esses anjos asseguram e garantem nossa existência humana aqui na Terra.

Se pegarmos uma pedra polida redonda, estaremos unidos aos anjos com aura em forma de esfera, em forma ondulada irradiante. Com sua chave — a bola, o círculo —, eles têm acesso à porta do nosso corpo espiritual e ativam nossas energias intuitivas e inspiradoras, influenciando, com isso, inspirações e processos mentais. Eles interrompem, por exemplo, pensamentos "circulantes", que já andam por nossa cabeça sem que encontremos uma solução, ou pensamentos que não estão ligados ao que estamos fazendo no momento. Eles nos ajudam com novas idéias doadoras de impulsos — a fim de distinguirmos a situação entre a "circulação", o "velho trote", o "encalhado" — ou conduzem

163

nossa atenção para aquilo que fazemos no momento, para recebermos uma solução ou conhecimento melhores. Isso nos desprende progressivamente da "solidificação" das maneiras de pensar disponíveis, que não são adaptadas e arranjadas pelas coisas, e nos garante agilidade, espontaneidade e nova sinceridade que nos levam aos "segredos da vida", os quais não conhecemos quando encontramos a vida com opiniões formadas e representações unilaterais. Com isso, cresce em nós a capacidade de nos apresentarmos sem reservas ao momento da vida, de percebermos inspirações e de agirmos livres de medo e confiantes segundo a intuição mais elevada. Nossa criatividade e energia de criação penetram com isso, mais e mais, a nossa existência consciente e cuidam da vida.

As pedras polidas em forma de gotas nos levam a contatar com anjos que, com sua chave — a gota —, abrem a porta da alma. A gota traz consigo, por intermédio de sua forma, a unidade a partir das energias masculinas e femininas: no arredondamento, a suave, concebedora, deslizante, feminina; e, na ponta, a julgadora de objetivos, concentradora, ativa, masculina. Os anjos, que com aura em forma de gota encontram a entrada para nossos processos da alma, trazem em conseqüência disto equilíbrio e harmonia para nosso "desequilíbrio moral", pois, na maioria das vezes, vivenciamos as energias masculina e feminina como opostas, o que conduz sempre para a tensão no nosso mundo sentimental. Se uma "gota" cai em nossa alma, essas energias se organizam, protegem-se mutuamente, e não nos perdemos por muito tempo em autocompaixão e desamparo, mas, sim, chegamos a uma força ativa, que nos permite "atacar" uma coisa, um problema.

Os anjos cuidam para que energias vibrantes fluam, dos planos mais elevados da alma, para a nossa mente. Essas energias percorrem nossas maneiras de pensar com bondade e sabedoria, tanto que encontramos novas impressões e um equilíbrio entre dedicação e força de vontade. Sob esses influxos, transformam-se nossos modos de comportamento, tanto que isso nos possibilita vivenciarmos as oposições não como ataque e prova de violação permanentes, mas, sim, como força motora de que nossa alma precisa para avançar no seu processo de conhecimento e de transformação consciente.

Por intermédio das formas dos cristais de rocha — sejam elas deixadas em sua forma crescente ou polidas —, estamos unidos aos "protetores das leis espirituais", uma elevada força espiritual superior da sabedoria. Os nossos anjos protetores vêm com sua energia até nós, e acompanham nossa alma em muitas vidas terrestres até que ela desperte em sua existência consciente de luz. A alma se torna consciente, a essa altura, da sua força de luz e irradiação, estando então preparada para poder experimentar, reconhecer e aceitar as leis espirituais, sua eficácia e utilização na matéria, para manifestá-las na sua vida terrestre como homem. A alma aprende a conter, ativa e conscientemente, sua energia de criação fecunda, com a qual o espírito toma forma no plano material e se manifesta em sua configuração mais densa.

A energia do cristal possibilita aos anjos protetores uma intensificação e aceleração desses processos de transformação consciente da alma. Pois os cristais de rocha são os "trazedores de luz" para a Terra. O espírito puro se manifestou por meio deles na matéria, e coloca a alma à disposição na Terra, quando ela descobre que a luz divina, a força da vida universal está não somente dentro, mas também fora dela. A alma é percorrida por essa força de luz e está unida, por intermédio da luz, a tudo o que foi criado e produzido. Tudo é um só na luz — simultaneamente, indivíduo e Universo, gota de água e mar.

Então, começa a "fase de trabalho" dos nossos anjos protetores: têm que cuidar para que a alma, do seu lado de sombra, se torne mais e mais consciente e encontre energia, confiança e conhecimento para abafar a sombra com a luz. Os anjos que vêm até nós por intermédio dos cristais de rocha têm consigo uma chave que, da mesma forma que ele, abre sempre uma porta de luz, de amor e sabedoria divinos. Com sua entrada em nossa aura, encontramos a luz sempre muito diretamente, e descobrimos que ela é tão clara que se reencontra em tudo. É o "material" da Criação, do espírito, que produz e retém a matéria. Depende da nossa existência consciente conhecermos e encontrarmos a luz, e decidirmos o que fazer com ela. As forças dos anjos das pedras preciosas ativam em nós, com seus elevados potenciais de luz, as energias da luz e nos ajudam, com isso, a trazê-las para a existência consciente aqui na Terra. Ao mesmo tempo, eles também auxiliam-nos, de maneira maravilhosa, a deixar irradiar nossos corpos espirituais mais e mais na luz, a torná-los luminosos — o que atrai, cada vez mais, as forças de luz do Universo segundo a lei da ressonância. Isso não tem enormes conseqüências apenas no plano terrestre, na nossa vida terrena atual, mas, também, mais além, em situações de existência momentânea e futura dos corpos de energia espiritual e suas tarefas no mundo da luz. O que reconhecemos aqui na Terra e manifestamos conscientemente tem sua correspondência direta no plano espiritual. Assim como nossos corpos de energia se tornaram luminosos, eles atraem substancialidades luminosas, tornando-se cada vez mais fortes na existência consciente da luz sobre todos os planos de existência. Estamos no meio deste processo de iluminação com o qual nossa alma se torna consciente da sua intensidade de luz — senão, os anjos das pedras preciosas não teriam encontrado a entrada para a nossa existência consciente e não poderiam abrir as portas com suas chaves.

ANJOS DAS PEDRAS PRECIOSAS
(RESUMO)

Chacra coronário e chacra frontal

Cristal de rocha — Protetor das leis espirituais...
— Pontas de cristal crescentes, puras, isoladas — Anjos para o caso de necessidade...
— Ponta de qualidade luminosa com inclusões — Anjos da conduta espiritual...
— Ponta com base leitosa, densa, com passagem direta para a claridade — Anjos da paz...
— Ponta com base densa, com passagem gradual para a claridade, com inclusões — Anjos do crescimento espiritual...
— Ponta que é muito ou totalmente leitosa — Anjos da manifestação...
— Muitas pontas, um grupo de cristais — Muitos anjos...
Ovos de cristal de rocha — Anjos da força de pura criação...
Pirâmide de cristal de rocha — Anjos da realização própria...
Obelisco de cristal de rocha — Anjos da guarda...
Bola de cristal de rocha — Anjos de toda a solidariedade...
Cristal de rocha em polimento de brilhante — Anjos da pureza...
Diamante — Anjos do conhecimento...
Pirita — Anjos da honra...

Chacra laríngeo e chacra cardíaco

Granada — Anjos da construção...
Rubi — Anjos da beleza...
Citrino - Anjos da luz...
Topázio precioso amarelo — Anjos da maturidade...
Peridoto/Olivina — Anjos da sabedoria do coração...
Esmeralda — Anjos de todo amor...
Turmalina — Anjos da saída...
Kunzita — Anjos da purificação salvadora...
Água-marinha — Anjos do bálsamo para a alma...
Turmalina azul-clara escura — Anjos da saída...
Safira — Anjos do ideal elevado e da energia da crença...
Ametista — Anjos da meditação e da intuição...

Centros de energia das mãos

Anjos de pedras polidas não-facetadas...
Quartzo de turmalina — Anjos da luz e da sombra...
Quartzo de rutílio — Anjos da luz dourada...
Quartzo róseo — Anjos da suavidade...
Jade — Anjos do amor acima de tudo...
Calcedônia — Anjos da palavra de Deus...
Pedra-da-lua — Anjos dos segredos da alma...

Opala no chacra cardíaco

Opala — Anjos da plenitude do coração...